explorez

niagara falls

et la région des vins

L'une des plus importantes destinations touristiques du Canada avec 13 millions de visiteurs par année

Superficie: 1 852 km² (région de Niagara)

Population: 88 000 (ville de Niagara Falls), 448 000 (région de Niagara)

Taille des chutes: 54 m de haut et 675 m de large du côté canadien, 64 m de haut et 305 m de large du côté américain

Industrie vinicole: l'Ontario compte quelque 180 vignobles (dont plus de 80 dans la région de Niagara) qui produisent plus de 25 millions de litres de vin par an.

ULYSSE

Crédits

Recherche et rédaction: Annie Gilbert
Éditeur: Pierre Ledoux
Recherche et rédaction antérieures, extraits des guides Ulysse *Québec et Ontario*, *Ontario* et *Toronto*: Anne Bécel, Jill Borra, Pascale Couture, Alexandra Gilbert, François Henault, Benoît Legault, Amber Martin, Jennifer McMorran, Nathalie Prézeau, Alain Rondeau
Correction: Pierre Daveluy, Claire Thivierge
Conception graphique: Philippe Thomas
Conception de la couverture

et mise en page: Judy Tan
Cartographie: Rachel Labrecque
Photographies: Première de couverture: *Cave à vin de la Jackson-Triggs Winery* © Cosmo Condina/ Alamy Stock Photo.
Quatrième de couverture: *Niagara-on-the-Lake* © iStockphoto.com/JonathanNicholls. *La chute en forme de fer à cheval* © iStockphoto.com/ Elijah-Lovkoff. *Les vignobles de la Route des vins* © iStockphoto.com/jimfeng.

Cet ouvrage a été réalisé sous la direction de Claude Morneau.

Remerciements

Annie Gilbert: merci à Helen Lovekin de Destination Ontario, Ethan Meleg, Guy Thériault, Eric Magnan de Parcs Canada et Lyse Gravel pour leur aide.

Nous reconnaissons l'appui financier du gouvernement du Canada.

Nous tenons également à remercier le gouvernement du Québec – Programme de crédit d'impôt pour l'édition de livres – Gestion SODEC.

Canada   Québec

Guides de voyage Ulysse est membre de l'Association nationale des éditeurs de livres.

Note aux lecteurs

Tous les moyens possibles ont été pris pour que les renseignements contenus dans ce guide soient exacts au moment de mettre sous presse. Toutefois, des erreurs peuvent toujours se glisser, des omissions sont toujours possibles, des adresses peuvent disparaître, les prix et les horaires peuvent changer, etc.; la responsabilité de l'éditeur ou des auteurs ne pourrait s'engager en cas de perte ou de dommage qui serait causé par une erreur ou une omission. Par ailleurs, il incombe au voyageur de s'informer des conseils et avertissements émis par les autorités compétentes du gouvernement de son pays au sujet des pays et régions qu'il compte visiter.

Écrivez-nous

Nous apprécions au plus haut point vos commentaires, précisions et suggestions, qui permettent l'amélioration constante de nos publications. C'est avec plaisir que nous offrirons un de nos guides aux auteurs des meilleures contributions. Écrivez-nous à l'une des adresses suivantes, et indiquez le titre qu'il vous plairait de recevoir.

Guides de voyage Ulysse
4176, rue Saint-Denis, Montréal (Québec), Canada H2W 2M5, www.guidesulysse.com, texte@ulysse.ca

Les Guides de voyage Ulysse, sarl
127, rue Amelot, 75011 Paris, France, www.guidesulysse.com, voyage@ulysse.ca

Catalogage avant publication de Bibliothèque et Archives nationales du Québec et Bibliothèque et Archives Canada

Titre: Explorez Niagara Falls et la Route des vins.
Noms: Gilbert, Annie.
Description: 2e édition. | Publié antérieurement sous le titre: Escale à Niagara Falls et la Route des vins / Annie Gilbert. 2015. | Comprend un index.
Identifiants: Canadiana 20190018275 | ISBN 9782894641408
Vedettes-matière: RVM: Niagara Falls (Ont.)—Guides. | RVM: Établissements vinicoles—Ontario— Niagara Falls—Guides. | RVM: Vignobles—Ontario—Niagara Falls—Guides.
Classification: LCC FC3099.N53 A3 2020 | CDD 917.13/39045—dc23

© Guides de voyage Ulysse inc.
Tous droits réservés
Bibliothèque et Archives nationales du Québec
Dépôt légal – Deuxième trimestre 2020
ISBN 978-2-89464-140-8 (version imprimée)
ISBN 978-2-76584-710-6 (version numérique PDF)
ISBN 978-2-76584-711-3 (version numérique ePub)
Imprimé en Italie.

sommaire

↘

le meilleur de niagara falls et la route des vins

découvrir niagara falls et la route des vins

niagara falls et la route des vins pratique

À la suite de ses études en tourisme, Annie Gilbert a occupé la fonction de libraire chez Ulysse avant de se joindre à l'équipe des éditions. Elle a notamment contribué à la rédaction des guides Ulysse *Hawaii*, *Le Québec*, *Nouvelle-Angleterre*, *Boston*, *Ouest canadien*, *Provinces maritimes du Canada*, *Escale à Ottawa et Gatineau* et *Escale à Washington*.

Un voyage en Ontario se doit d'inclure une visite des chutes du Niagara, le site naturel le plus spectaculaire de la province. Que ce soit pour une visite éclair d'une journée, pour y passer sa lune de miel ou pour une escapade familiale, chacun y trouvera son compte. À l'ombre des chutes, la ville de Niagara Falls n'est pas en reste avec ses casinos, ses restaurants, ses parcs thématiques et ses espaces verts.

Non loin de la cohue des chutes se trouve la Route des vins de la péninsule du Niagara, qui permet de faire de belles découvertes dans un cadre enchanteur. Ses jolies petites routes de campagne traversent de charmants villages où vous trouverez de bonnes tables, de charmantes auberges et d'agréables boutiques. Sans oublier les nombreux vignobles qui combleront tout amateur de vin, particulièrement ceux qui apprécient ce divin nectar qu'est le vin de glace.

Les passionnés d'histoire y trouveront également leur compte en visitant les nombreux lieux historiques qui parsèment la péninsule du Niagara, dont deux forts qui furent au cœur des combats entre les Américains et les Britanniques lors de la guerre de 1812.

La chute canadienne.

le meilleur de

niagara falls
et la route des vins

niagara falls
et la **route** des vins

En **10** images
emblématiques

La Grande Hermine
(p. 82)

3

1

La chute en forme de fer à cheval (p. 33)

Le canal Welland (p. 74)

4

2

Le vin de glace (p. 91)

Le tour de bateau Voyage to the Falls (p. 35)

La Niagara SkyWheel (p. 29)

Marineland (p. 38)

La Floral Clock (p. 43)

La Skylon Tower (p. 39)

Les vignobles de la Route des vins (p. 56)

En quelques heures

⬊ Admirer les chutes du Niagara depuis le Table Rock Welcome Centre (p. 35)
Pour sentir la puissance de ces trésors de la nature.

⬊ Faire le tour en bateau Voyage to the Falls (p. 35)
Pour voir et entendre rugir les chutes d'encore plus près.

⬊ Prendre l'ascenseur jusqu'au sommet de la Skylon Tower (p. 39)
Pour profiter d'une vue imprenable sur les chutes.

En une journée

Ce qui précède plus...

⬊ Prendre part à l'activité Journey Behind the Falls (p. 36)
Pour descendre sous terre dans un tunnel creusé derrière les chutes et sentir leur furieux grondement.

⬊ Se rendre au Queen Victoria Park (p. 28)
Pour admirer de superbes arrangements floraux.

En un week-end

Ce qui précède plus…

↘ Se balader sur la **White Water Walk** (p. 41)
Pour longer la rivière Niagara sur plus de 300 m et s'émerveiller devant la force de ses rapides.

↘ Visiter Niagara-on-the-Lake (p. 51)
Pour découvrir le charme de ses élégantes demeures de style anglais et s'attabler dans d'excellents restaurants.

↘ Faire une balade sur la Route des vins (p. 56)
Pour parcourir la plus vaste région viticole du Canada.

En une semaine

Ce qui précède plus…

↘ Explorer le sud de la péninsule, entre autres la splendide Crystal Beach (p. 100) et l'historique Old Fort Erie (p. 97)
Pour fouler le sable d'une des plus belles plages du lac Érié et en apprendre davantage sur la guerre anglo-américaine de 1812.

↘ Faire une excursion à Toronto (p. 110)
Pour profiter de ses nombreux attraits (CN Tower, Ripley's Aquarium of Canada, Art Gallery of Ontario, Kensington Market, Royal Ontario Museum, pour ne nommer que ceux-là) et de ses restaurants réputés.

En **10** repères

1   Annie Edson Taylor

Annie Edson Taylor fut la première personne qui est sortie vivante d'une descente des chutes du Niagara en tonneau. C'était le 24 octobre 1901, jour de son 63e anniversaire, et des milliers de spectateurs étaient au rendez-vous. Depuis, la plupart de ceux qui ont tenté de se lancer dans les eaux dans un tonneau ou un autre habitacle y ont laissé leur vie. La traversée sur un fil étant déjà interdite depuis 1896, les autres acrobaties le sont depuis 1951.

2   Canal Welland

La construction du canal Welland apparaît essentielle au lendemain de la guerre anglo-américaine de 1812, alors que les autorités décident de désenclaver le Haut-Canada. Les travaux du canal débutent en 1824 et les bateaux peuvent l'emprunter dès 1829. Au fil des ans, ce premier canal s'avère toutefois insuffisant pour la navigation; la construction de nouveaux canaux est alors envisagée. Au total, quatre canaux seront creusés, dont l'actuel canal, qui date de 1932.

3   Guerre anglo-américaine de 1812

La plus grande partie des opérations militaires se sont déroulées dans la région de Niagara. Deux invasions américaines furent repoussées pendant l'automne 1812. Au printemps 1813, une nouvelle invasion américaine obligea les Britanniques à se replier. Mais la garnison américaine se retira, en décembre 1813, de son côté de la frontière, après avoir incendié le Fort George et le village de Niagara. Ce revers

américain devait être encore aggravé par le siège du Fort Niagara par les Britanniques au même moment. La région, y compris le Fort Niagara, demeura sous la domination britannique jusqu'à la signature du traité de Gand, en décembre 1814.

4   Laura Secord

Tout commença le soir du 21 juin 1813, alors que des officiers américains s'étaient introduits dans la maison de Laura Secord. « *Nous attaquerons FitzGibbon par surprise à Beaver Dams* », entendit-elle. S'ensuivit sa marche historique de 32 km, de Queenston à Thorold, qui permit d'avertir l'avant-poste britannique. Le lieutenant James FitzGibbon écrivit plusieurs années plus tard : « *Le 22 juin 1813, il faisait très chaud et madame Secord, qui était une personne frêle et délicate, semblait tout à fait épuisée par l'effort qu'elle avait dû déployer pour venir jusqu'à moi. Depuis lors, je me sens profondément reconnaissant à son endroit pour sa conduite à cette occasion...* »

5   Lune de miel

Capitale des lunes de miel, Niagara Falls attire 50 000 nouveaux mariés chaque année. Certains attribuent la popularité de la ville au mariage de Theodosia Burr et Joseph Alston, qui furent le premier couple à y passer leur lune de miel en 1801. D'autres disent que c'est le frère de Napoléon Bonaparte, Jérôme, qui aurait lancé la tradition en 1804. Le film *Niagara*, sorti en 1953 et dont les deux grandes vedettes sont Marilyn Monroe et les chutes, a certainement aussi contribué à l'image romantique du lieu.

En **10** repères *(suite)*

6   **Néons**
Les chutes du Niagara sont entourées par une ville qui a des airs de
Las Vegas avec toutes ses enseignes et affiches lumineuses. Dès que
la nuit tombe, les néons s'allument et les deux grandes artères de la
ville se transforment alors en mini *Strip* avec leurs attractions plutôt
kitsch...

7   **Rivière Niagara**
Longue de 56 km, la rivière Niagara coule depuis le lac Érié, au sud,
vers le lac Ontario, au nord. Elle trace une partie de la frontière entre
la province canadienne de l'Ontario et l'État américain de New York.
Surtout connue pour ses spectaculaires chutes du Niagara, créées par
l'escarpement du Niagara, elle serpente, en aval des chutes, dans les
gorges du Niagara. La rivière contourne aussi quelques îles le long de
son cours, Grand Island étant la plus importante.

8   **Shaw Festival**
Fondé en 1962, le Shaw Festival, l'un des plus importants festivals
de théâtre en Amérique du Nord, a lieu à Niagara-on-the-Lake. Son
mandat était de susciter l'intérêt envers l'œuvre de l'Irlandais et Prix
Nobel de littérature George Bernard Shaw (1856-1950) et de promouvoir
les arts théâtraux. Cette année-là, on présenta au palais de justice de la

ville – devenu le Court House Theatre – deux pièces de Shaw: *Don Juan in Hell* et *Candida*. Le succès fut retentissant.

9 Tourisme

Environ 13 millions de touristes (majoritairement du Canada, des États-Unis et du Royaume-Uni) visitent annuellement la région de Niagara. Les chutes et les vignobles, ainsi que d'autres attractions comme les terrains de golf, les pistes cyclables et les musées, en font une destination touristique recherchée. En 2018, quelque 40 000 personnes de la région de Niagara avaient un emploi directement lié au tourisme.

10 Vin de glace

Les vins de glace sont produits en laissant les raisins geler naturellement sur la vigne. Très sucré, doré ou d'une riche et intense couleur ambre, goûtant à la fois l'abricot, la pêche, la mangue et le melon, le vin de glace a souvent un arôme de noisette. L'Ontario en est le premier producteur au Canada. La production canadienne est estimée à près de 340 000 litres annuellement et les exportations ont atteint une valeur de 19,4 millions de dollars en 2016, principalement à destination de la Chine et des États-Unis.

En **15** dates importantes

1 **1643:** Le missionnaire jésuite français Paul Ragueneau visite les chutes du Niagara alors qu'il travaille parmi la communauté huronne de la région. Il racontera sa visite dans les *Relations des Jésuites*, le recueil des correspondances entre les missionnaires envoyés en Nouvelle-France et leurs supérieurs à Paris.

2 **1678:** Le missionnaire franciscain d'origine belge Louis Hennepin dirige une expédition qui atteint les chutes du Niagara.

3 **1792:** Newark (aujourd'hui Niagara-on-the-Lake) devient la capitale du Haut-Canada jusqu'en 1796.

4 **1800:** Drummondville (qui deviendra Niagara Falls) est fondée.

5 **1811:** Johann Schiller, un soldat retraité, s'installe dans la péninsule du Niagara et produit son propre vin. On le considère comme le père du vin canadien.

6 **1812:** Le Royaume-Uni déclare la guerre aux États-Unis le 18 juin. La majorité des combats se dérouleront dans la région de Niagara.

7 **1814:** La bataille de Lundy's Lane a lieu le 25 juillet. Le 24 décembre, la guerre de 1812 est officiellement terminée par la signature du traité de Gand.

8 **1881:** Drummondville prend le nom de Niagara Falls.

9 **1882 :** La société américaine Niagara Falls Hydraulic Power and Manufacturing Company est la première entreprise à générer de l'électricité à partir des chutes. Aujourd'hui les centrales hydroélectriques installées des côtés canadien et américain de la rivière Niagara produisent quelque 4,4 gigawatts d'électricité.

10 **1885 :** La Niagara Parks Commission est créée afin de protéger le site des chutes du Niagara. Le Niagara Falls State Park est inauguré la même année du côté américain des chutes. C'est le plus ancien parc d'État des États-Unis.

11 **1916 :** Le gouvernement ontarien adopte la loi sur la prohibition, mais permet aux vignobles existants de continuer à produire. Par contre, aucun nouveau permis ne sera délivré (et ce, jusqu'en 1975 !).

12 **1927 :** La prohibition est abrogée. Inauguration du **Peace Bridge**, un pont international qui relie Fort Erie à Buffalo, aux États-Unis.

13 **1969 :** Un barrage temporaire est construit en juin sur la rivière Niagara, «arrêtant» les chutes américaines pour permettre à une équipe d'ingénieurs de l'armée américaine d'effectuer des travaux pour prévenir l'érosion de l'escarpement rocheux. Le flot sera restauré en novembre de la même année.

14 **1975 :** Inniskilin Wines devient le premier vignoble à s'implanter depuis la prohibition.

15 **1983 :** Première cuvée de vin de glace en Ontario.

En 7 expériences uniques

1 Admirer les chutes du haut de la Skylon Tower (p. 39) ou en prenant part au Journey Behind the Falls (p. 36) ou au Voyage to the Falls (p. 35)

2 Explorer les vignobles et déguster de bons crus sur la Route des vins (p. 56)

3 Visiter le site de la bataille de Lundy's Lane, événement important de la guerre de 1812 (p. 39)

4 Regarder passer les bateaux dans une des écluses du canal Welland au St. Catharines Museum & Welland Canals Centre (p. 74)

5 Déguster du vin de glace dans un *lounge* tout en glace au vignoble Peller Estates (p. 57)

6 Profiter d'une des plus belles plages du lac Érié en se rendant à **Crystal Beach**, dans la partie sud de la péninsule du Niagara (p. 100)

7 Pratiquer ses postures de yoga devant les chutes (p. 44)

En **5** incontournables
pour les passionnés d'histoire

1. La bataille de Lundy's Lane et l'histoire des chutes au Niagara Falls History Museum (p. 39)

2. La guerre de 1812 au **Lieu historique national du Fort-George** (p. 55)

3. L'histoire du canal Welland au St. Catharines Museum & Welland Canals Centre (p. 74)

4. La saga de l'héroïne Laura Secord au Laura Secord Homestead (p. 72)

5. L'histoire de l'imprimerie au Mackenzie Printery and Newspaper Museum (p. 72)

En 5 bâtiments de vignoble à l'architecture originale

1 Les Southbrook Vineyards et leur audacieux pavillon d'accueil et de dégustation certifié LEED «Or» (p. 61)

2 Le bien nommé Château des Charmes et son édifice qui rappelle certains châteaux français (p. 70)

3 Le majestueux bâtiment d'accueil des Two Sisters Vineyards qui évoque certains monastères italiens (p. 55)

4 Hernder Estate Wines et sa boutique aménagée dans une ancienne grange aux superbes vitraux (p. 78)

5 **Flat Rock Cellars** et son bâtiment surélevé qui offre une magnifique vue sur les vignes (p. 83)

En **5** endroits pour faire plaisir aux enfants

1 La Niagara SkyWheel, une grande roue qui offre une magnifique vue plongeante sur les chutes (p. 29)
2 Le Fallsview Indoor Waterpark, plus grand parc aquatique intérieur d'Amérique du Nord (p. 32)
3 Le **Bird Kingdom**, ce « royaume des oiseaux » qui abrite la plus grande volière au monde (p. 32)
4 Marineland, pour assister à des spectacles d'animaux aquatiques (p. 38)
5 Le secteur de Clifton Hill à Niagara Falls, avec ses jeux de laser et ses maisons hantées (p. 29)

En **5** lieux pour bénéficier des meilleures vues sur les chutes

1 Du haut de la Skylon Tower (p. 39)
2 De la Niagara SkyWheel (p. 29)
3 À bord du bateau du Voyage to the Falls (p. 35)
4 Du point d'observation du Table Rock Welcome Centre (p. 35)
5 Depuis le restaurant Elements on the Falls (p. 47)

En **5** beaux espaces verts

En 5 grandes tables

1 The Restaurant at Pearl Morissette, pour une expérience gastronomique de haut niveau (p. 88)

2 **The Winery Restaurant at Peller Estates**, pour sa cuisine préparée avec des produits exclusivement canadiens (p. 66)

3 Backhouse et son exquise cuisine nordique (p. 67)

4 Le Wellington Court, pour ses plats fins et divinement présentés (p. 81)

5 L'Inn on the Twenty Restaurant, pour sa cuisine créative influencée par les traditions françaises (p. 88)

En 5 tables créatives

1 Le Rise Above Restaurant, pour sa fraîche et savoureuse cuisine végétalienne (p. 80)

2 Treadwell, pour sa délicieuse et créative cuisine du marché qui utilise les produits des fermes environnantes (p. 67)

3 The Yellow Pear et ses petits déjeuners hors du commun (p. 80)

4 Masaki Sushi, l'un des meilleurs restaurants nippons de la région (p. 66)

5 The Old Firehall, un restaurant en pleine campagne dont les plats de pâtes et de poisson retiennent l'attention (p. 71)

En 5 belles terrasses

1 Le Shaw Café and Wine Bar, dont la populaire terrasse donne sur la jolie rue Queen de Niagara-on-the-Lake (p. 65)

2 The Winery Restaurant at Peller Estates, pour profiter d'une magnifique vue sur les vignes du vignoble (p. 66)

3 Le Ravine Vineyard Estate Winery Restaurant, pour l'ambiance champêtre d'un vignoble de toute beauté (p. 71)

4 **The Good Earth Food and Wine Co.**, pour son site bucolique entouré de bottes de foin et de vignes (p. 93)

5 Le Lake House Restaurant, pour sa splendide vue sur le lac Ontario (p. 92)

En 5 tables familiales

1 Le BlueLine Diner, pour ses petits déjeuners et son ambiance bon enfant (p. 45)

2 Le Ming Teh Restaurant, considéré par plusieurs comme le meilleur restaurant chinois de la péninsule du Niagara (p. 97)

3 Mabel's Gourmet Pizza, pour une bonne pizza à croûte mince garnie d'ingrédients de première qualité (p. 100)

4 Le Napoli Ristorante & Pizzeria, pour sa cuisine italienne toute en saveurs (p. 46)

5 Le Sunrise Cafe, pour ses bons petits déjeuners (p. 80)

En **5** vignobles

En **5** incontournables de la vie nocturne

En **5** incontournables du lèche-vitrine

1 Les **boutiques des vignobles de la Route des vins**, pour se procurer leurs crus et en faire la dégustation (p. 56)
2 Wine Country Vintners, un autre bon endroit pour dénicher des crus de la péninsule du Niagara (p. 64)
3 L'Outlet Collection at Niagara, pour faire des achats en tout genre à bon prix (p. 45)
4 Queen Street, à Niagara-on-the-Lake, et ses agréables boutiques (p. 54)
5 L'Upper Canada Cheese Company, pour goûter aux fromages ontariens (p. 87)

En **5** lieux d'hébergement pour une lune de miel

1 Le Sterling Inn & Spa, pour son superbe décor et son excellent restaurant (p. 49)
2 Le Prince of Wales, pour son élégante ambiance de résidence cossue de la fin du XIXe s. (p. 69)
3 L'Everheart Country Manor, pour ses splendides chambres à la décoration soignée et à l'atmosphère romantique (p. 73)
4 Le Riverbend Inn & Vineyard, pour sa romantique maison de style victorien construite au milieu du XIXe s. (p. 69)
5 L'Inn on the Twenty, pour ses magnifiques suites qui invitent au farniente et à la relaxation (p. 89)

découvrir

niagara falls
et la route des vins

1

Les chutes du Niagara et la ville de Niagara Falls

À voir, à faire

(voir carte p. 31)

Spectacle naturel saisissant, les **chutes du Niagara** ★★★ attirent une foule de visiteurs depuis, dit-on, que le frère de Napoléon, Jérôme Bonaparte, y serait venu avec sa jeune épouse au début du XIXe s. Juste à côté, la ville de **Niagara Falls** est entièrement vouée au tourisme, et son centre-ville se compose d'une succession de commerces sans charme: motels quelconques, musées kitsch, comptoirs de restauration rapide, le tout rehaussé d'une ribambelle d'enseignes criardes. Ces commerces ont poussé anarchiquement, apparemment sans recherche d'un quel-conque esthétisme. Les familles s'y amuseront, mais les contemplatifs voudront se concentrer sur les beautés naturelles de l'endroit.

Le circuit débute un peu au nord des chutes, au Queen Victoria Park.

Queen Victoria Park ★★ [1]
6345 Niagara Pkwy., www.niagaraparks.com
Dès 1885, la nature environnant les chutes fut protégée du développement commercial grâce à la création du Queen Victoria Park, un délicieux jardin de verdure qui longe la rivière Niagara. L'**Oakes Garden Theatre** ★★, un amphithéâtre en plein air situé à l'entrée du parc, est de toute beauté et, pendant la belle saison, les mariés s'y relaient pour la traditionnelle prise de pho-

Les chutes du Niagara avec la ville de Niagara Falls à l'arrière-plan.

Les chutes du Niagara et la ville de Niagara Falls

tos. Il faut s'y rendre au printemps, lorsque plus de 500 000 jonquilles y fleurissent. Des sentiers de randonnée pédestre et des pistes de ski de fond sillonnent le parc.

La section nord du parc est traversée par la rue Clifton Hill, à l'origine du nom du quartier.

Clifton Hill [2]
www.cliftonhill.com

Clifton Hill est ce que Niagara Falls a de plus laid à offrir: quelques rues remplies de musées et d'attractions aux enseignes accrocheuses mais dont le contenu est des plus kitsch et des plus insignifiants (jeux de laser et maisons hantées, entre autres). Si vous êtes accompagné d'adolescents, ils trouveront probablement leur compte ici; autrement, nous vous conseillons de passer outre ce secteur.

Niagara SkyWheel ★ [3]
adultes 13$, enfants 7$; tlj 9h à 0h; 4946 Clifton Hill, 905-358-4793, www.skywheel.ca

Seul attrait digne d'intérêt dans Clifton Hill, cette grande roue permet d'avoir une magnifique vue en plongée sur les chutes. Le billet d'entrée donne droit à un tour de 8 à 12 min, ce qui laisse amplement le temps de prendre les chutes en photo. Les gens souffrant de vertige devraient s'abstenir de faire cette activité.

Ripley's Believe It or Not! Niagara Falls [4]
adultes 19$, enfants 12$; lun-jeu 10h à 21h, ven 10h à 23h, sam 10h à 0h, dim 10h à 22h; 4960 Clifton Hill, 905-356-2238, www.ripleys.com/niagarafalls

Ce musée compte plusieurs stations interactives qui amuseront les amateurs de curiosités en tout genre.

Les chutes du Niagara et la ville de Niagara Falls

À voir, à faire ★

1. BY Queen Victoria Park/ Oakes Garden Theatre
2. BY Clifton Hill
3. BY Niagara SkyWheel
4. BY Ripley's Believe It or Not! Niagara Falls
5. CY Fallsview Indoor Waterpark
6. CY Bird Kingdom
7. BY MistRider Zipline to the Falls
8. CZ Chute américaine
9. BZ Chute canadienne
10. BY Voyage to the Falls
11. BZ Table Rock Welcome Centre/ Journey Behind the Falls/ *Niagara's Fury*
12. BZ Niagara Parks Floral Showhouse
13. BZ Dufferin Islands Nature Area
14. BZ Marineland
15. BZ Niagara IMAX Theatre
16. BZ Skylon Tower
17. AY Niagara Falls History Museum
18. AY Battle Ground Hotel Museum
19. AY Drummond Hill Cemetery
20. CW Cham Shan Buddhist Temple/ Ten Thousand Buddhas Sarira Stupa Temple
21. CW White Water Walk
22. CV Whirlpool Aero Car
23. CV Niagara Glen Nature Reserve
24. CV Niagara Parks Botanical Gardens/ Butterfly Conservatory
25. CV Floral Clock
26. CY *Maid of the Mist*
27. CZ Cave of the Winds

Activités ☀

28. BZ Magnificent Tours
29. BV Niagara Helicopters

Achats ■

30. AY Canada One Outlets
31. AW Criveller Cakes
32. CY Crock A Doodle
33. AW Marcel Dionne Inc.
34. BZ National Geographic Store
35. BY Ochre Gallery
36. AY Outlet Collection at Niagara
37. BY The Fudge Factory

Cafés et restos ●

38. BY AG Inspired Cuisine
39. AW BlueLine Diner
40. AW Casa Mia Ristorante
41. BZ Elements on the Falls
42. AY Koutouki Greek Cuisine
43. AY Moksha Indian Bistro
44. AY Napoli Ristorante & Pizzeria
45. CW Paris Crêpes Café
46. AZ PhoXyclo
47. BZ Summit Suite Buffet/ Revolving Dining Room
48. AY The Queen Charlotte Tea Room
49. AW Tide & Vine Oyster House
50. BY Weinkeller

Bars et boîtes de nuit ☽

51. BY Jack's Cantina
52. BY Niagara Brewing Company
53. BZ R5 Patio & Bar

Culture et divertissement ◆

54. CY Casino Niagara
55. BZ Fallsview Casino Resort
56. AY Oh Canada Eh? Dinner Show

Logement ▲

57. BY Clifton Victoria Inn at the Falls
58. CY Crowne Plaza Niagara Falls Hotel
59. BY DoubleTree Fallsview Resort & Spa by Hilton – Niagara Falls
60. CX Greystone Manor Bed & Breakfast
61. CW HI Niagara Falls
62. BZ Marriott Gateway on the Falls
63. BY Sheraton on the Falls Hotel
64. BY Skyline Hotel & Waterpark
65. BY Sterling Inn & Spa

Les chutes du Niagara et la ville de Niagara Falls

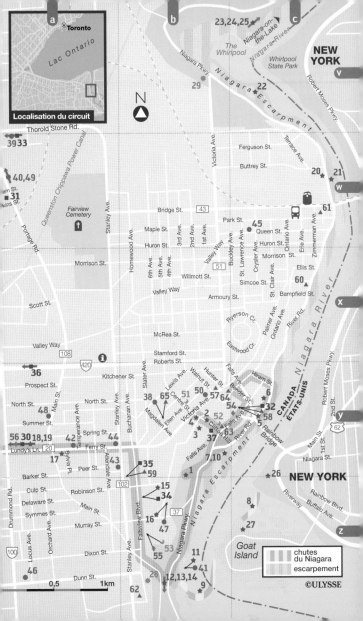

Chutes du Niagara.

Revenez sur vos pas et empruntez Falls Avenue à gauche.

Fallsview Indoor Waterpark [5]

adultes et enfants 47$ à 52$ selon la saison; fin juin à fin août tlj 10h à 21h, reste de l'année horaire variable; 5685 Falls Ave., 888-234-8413, www.fallsviewwaterpark.com

Juste à côté du Casino Niagara (voir plus loin) se trouve le plus grand parc aquatique intérieur d'Amérique du Nord. Les familles apprécieront les glissades d'eau, les piscines à vagues et les jeux d'eau. À noter que l'entrée du parc aquatique est située à l'arrière du bâtiment et que le stationnement coûte 30$/jour.

Poursuivez dans Falls Avenue, tournez à gauche dans Bender Street, puis empruntez Ontario Avenue à droite. Tournez ensuite à droite dans Hiram Street, puis prenez encore à droite River Road.

Bird Kingdom ★ [6]

adultes 17$, enfants 12$; juil et août tlj 9h à 18h30, sept à juin tlj 9h30 à 17h; 5651 River Rd., 905-356-8888 ou 866-994-0090, www.birdkingdom.ca

Comme son nom l'indique, ce « royaume des oiseaux » héberge, dans la plus grande volière au monde, quelque 400 oiseaux exotiques représentant 80 espèces. Les visiteurs déambulent donc dans une forêt tropicale et, en plus d'observer les oiseaux, ils peuvent voir des reptiles et admirer une chute de 12 m de haut ainsi qu'une authentique maison javanaise du XIXe s.

Empruntez la promenade le long de la Niagara Parkway vers le sud.

Les chutes du Niagara et la ville de Niagara Falls

MistRider Zipline to the Falls ★★ [7]

à partir de 50$; mi-mai à début sept tlj 8h à 22h, reste de l'année horaire variable; 5920 Niagara Pkwy., 800-263-7073, http://niagarafalls.wildplay.com

Le MistRider Zipline to the Falls invite les aventuriers à effectuer une descente en tyrolienne de 670 m qui permet de bénéficier d'une vue superbe sur les chutes. Des parcours d'hébertisme aérien sont aussi proposés sur le site.

Chutes du Niagara ★★★

Les chutes du Niagara ont été formées il y a quelque 12 000 ans. Cette formation naturelle offre un tableau d'une rare beauté de deux chutes côte à côte: la **chute américaine** [8], haute de 64 m et large de 305 m, et la **chute canadienne** [9], qui a la particularité d'avoir la forme d'un fer à cheval. Cette dernière est haute de 54 m et large de 675 m. L'escarpement rocheux des chutes étant constitué de pierres tendres, les chutes rongeaient la paroi rocheuse d'environ 1 m chaque année avant qu'on ne détourne une partie de cette eau pour alimenter les centrales hydroélectriques situées non loin. Aujourd'hui, la paroi recule d'environ 0,3 m par an.

Le vrai plaisir à Niagara Falls, en dépit du caractère commercial du lieu, c'est de pouvoir se retrouver presque en tête à tête avec les chutes. Comment? En les admirant au lever du soleil, avant l'arrivée des touristes, ou au mois de janvier ou février, alors que les chutes, temporairement oubliées, rugissent en liberté et créent des sculptures de glace étonnantes... À noter que les

Les chutes du Niagara et la ville de Niagara Falls

Comment profiter au mieux des chutes du Niagara

Malgré le très grand nombre de touristes qui les visitent quotidienne-
ment, il est facile d'admirer les chutes. Vous pouvez passer devant en
voiture et simplement longer le site pour en avoir un premier aperçu.
C'est gratuit. Le stationnement, lui, est payant et coûte assez cher.
Pour faire des économies, nous vous conseillons de vous stationner à
la **Niagara Parks Floral Showhouse** *(5$/h ou 25$/jour maximum;
voir p. 37)*, située à environ 15 min à pied du **Table Rock Welcome
Centre** (voir p. 35), le point d'observation avec la plus belle vue sur
les chutes.

Le meilleur moment pour observer les chutes est très tôt le matin, idéalement au lever du soleil, avant l'arrivée des hordes de touristes.

Voici quelques attraits qui se démarquent et que vous pourrez visiter ou
vous offrir selon vos envies:

Les chutes pour les amateurs de sensations fortes
- Voyage to the Falls (voir p. 35)
- MistRider Zipline to the Falls (voir p. 33)
- Niagara Helicopters (voir p. 43)

Les chutes sans trop se faire mouiller (ni secouer)
- Niagara IMAX Theatre (voir p. 38)
- Skylon Tower (voir p. 39)
- Journey Behind the Falls (voir p. 36)

Les chutes loin de la foule
- White Water Walk (voir p. 41)
- Niagara Parks Floral Showhouse (voir p. 37)

Les chutes hors des sentiers battus
- Namaste Niagara (voir p. 44)

Voyage to the Falls.

Les chutes du Niagara et la ville de Niagara Falls

chutes s'illuminent tous les soirs lorsque la nuit tombe et que des feux d'artifice ajoutent à la féerie du spectacle tous les soirs à 22h en période estivale, ainsi que les vendredis, samedis, dimanches (et lundis fériés) de la mi-mai à la mi-octobre, et plusieurs soirs durant l'hiver.

Voyage to the Falls ★ ★ ★ [10]
adultes 26$, enfants 16$; avr à nov tlj départs aux 15 min; 5920 Niagara Pkwy., 905-642-4272, www.niagaracruises.com
Organisé par Hornblower Niagara Cruises, le tour en bateau Voyage to the Falls a pris le relais de celui du *Maid of the Mist*, qui, après 125 ans de loyaux services, ne sillonne plus le côté canadien des chutes. Il est toujours possible de monter à bord du *Maid of the Mist*, mais il vous fau-

dra aller du côté américain (voir l'encadré p. 37). Dans le tour Voyage to the Falls, vous serez conduit au pied des chutes. Pourvu d'un imperméable, vous pourrez d'abord observer la chute américaine puis la chute canadienne, en plein cœur du fer à cheval. Un moment des plus impressionnants!

Table Rock Welcome Centre [11]
tlj; 6650 Niagara Pkwy., 905-358-3268 ou 877-642-7275, www.niagaraparks.com
Le Table Rock Welcome Centre, situé juste en amont des chutes, loge les bureaux de renseignements touristiques. Parmi les **points d'observation** ★ ★ ★ qui font face aux chutes, le principal est situé devant ces bureaux. S'y trouvent également le Table Rock House Restaurant avec

Les chutes du Niagara et la ville de Niagara Falls

La Cave of the Winds, du côté américain des chutes.

vue directe sur les chutes, ainsi que plusieurs commerces de souvenirs. De l'extérieur, vous pourrez regarder les chutes sous à peu près tous les angles, mais c'est également là que tous les touristes se pressent.

Journey Behind the Falls ★★★ [11]

adultes 16,75$, enfants 10,95$; mi-juin à fin août tlj 9h à 22h, reste de l'année horaire variable; 905-354-1551

À l'intérieur du Table Rock Welcome Centre, ce « voyage derrière les chutes » permet de vraiment sentir leur puissance. On prend d'abord un ascenseur qui descend sous terre et mène à l'un des trois tunnels creusés dans le roc, lesquels conduisent les visiteurs derrière les chutes d'où ils peuvent contempler de près les trombes d'eau. La vue la plus spectaculaire s'offre toutefois depuis le belvédère situé au pied des chutes.

Et quel furieux grondement! En étant aussi près des chutes, vous vous mouillerez forcément un peu malgré tout!

Niagara's Fury [11]

adultes 13,50$, enfants 8,80$; fin juin à fin août tlj 9h15 à 21h, reste de l'année horaire variable; www.niagarasfury.com

Également dans le Table Rock Welcome Centre, *Niagara's Fury* propose un voyage unique à la découverte de la formation des chutes il y a 12 000 ans, dans une salle spécialement conçue pour faire vivre une expérience « 4D » qui parfois mouille un peu (soyez sans crainte, on vous remettra un imperméable à l'entrée)!

Poursuivez le long de la Niagara Parkway vers les chutes canadiennes.

Les chutes du côté américain

Si, malgré le fait que la vue des chutes soit plus spectaculaire du côté canadien, vous décidez, passeport en main, de traverser du côté des États-Unis (le pont Rainbow permet de s'y rendre à pied), voici quelques attraits à ne pas négliger:

Maid of the Mist [26]

adultes 19,25$US, enfants 11,20$US; mi-mai à début nov tlj; 1 Prospect St., Niagara Falls, NY, www.maidofthemist.com

Le célèbre bateau part désormais du côté américain des chutes. Il propose la même croisière que celle du **Voyage to the Falls** (voir p. 35), du côté canadien.

Goat Island

Située entre la chute américaine et la chute canadienne, Goat Island fait partie du **Niagara Falls State Park**, le plus ancien parc d'État des États-Unis. Elle offre de magnifiques points de vue sur l'une ou l'autre des chutes. S'y trouve l'attrait populaire de Cave of the Winds.

Cave of the Winds [27]

adultes 19$, enfants 16$; tlj horaire variable; Goat Island, Niagara Falls, NY, 716-285-0705, www.niagarafallsstatepark.com

Chaque printemps, une série de plateformes reliées par des escaliers sont installées afin de permettre aux visiteurs de se rendre le plus près possible de la chute américaine. L'expérience est mémorable et vous en ressortirez immanquablement trempé (on vous prêtera tout de même un imperméable)!

Les chutes du Niagara et la ville de Niagara Falls

Niagara Parks Floral Showhouse ★ [12]
7$; tlj 9h30 à 17h; 7145 Niagara Pkwy., www.niagaraparks.com

La Niagara Parks Floral Showhouse présente de beaux aménagements floraux qui se transforment chaque saison, selon les floraisons. Cette grande serre est également le refuge de nombreux oiseaux tropicaux qui s'ébattent en toute liberté et que l'on découvre avec ravissement. La visite en vaut la peine, d'autant plus qu'on y rencontre moins de visiteurs qu'ailleurs.

Les chutes du Niagara et la ville de Niagara Falls

Dufferin Islands Nature Area.

Dufferin Islands Nature Area ★ [13]

entrée libre; 6345 Dufferin Isle Rd.

Pour faire une pause nature loin de la cohue, notez que la Dufferin Islands Nature Area est des plus agréables. Ses sentiers, bien entretenus, permettent d'observer la faune et la flore de la région. Profitez-en pour faire un pique-nique!

À cette hauteur, de l'autre côté de Portage Road, se trouve le parc d'attractions Marineland.

Marineland [14]

13 ans et plus 50$, enfants 5 à 12 ans 43$; mi-mai à fin juin et sept à fin oct tlj 10h à 17h, juil et août tlj 9h à 18h; 7657 Portage Rd., 905-356-9565, www.marinelandcanada.com

Les personnes qui souhaitent assister à des spectacles d'otaries, de morses, de dauphins et de baleines pourront aller à Marineland. En outre, un petit zoo (ours, bisons, cerfs élaphes) et des manèges sauront amuser les enfants. À noter qu'au moment de mettre sous presse, le Canada avait adopté un projet de loi interdisant de garder des dauphins et baleines en captivité; seuls Marineland et le Vancouver Aquarium, qui possèdent un droit acquis, peuvent poursuivre cette pratique.

Revenez au Table Rock Welcome Centre, où vous monterez à l'étage afin de prendre le funiculaire (2,50$ aller) qui mène à Fallsview Boulevard.

Niagara IMAX Theatre [15]

adultes 12$, enfants 9$; juin à août tlj 9h à 21h, nov à avr tlj 10h à 16h, mai et oct tlj 9h à 20h; 6170 Fallsview Blvd., 905-358-3611 ou 866-405-4629, www.imaxniagara.com

Le Niagara IMAX Theatre projette sur écran géant le film *Niagara:*

Miracles, Myth & Magic, qui relate 12 000 ans d'histoire des chutes. Une intéressante exposition est aussi présentée sur ceux et celles qui ont osé braver les chutes, que ce soit dans un tonneau, un kayak ou en motomarine!

_____

Rendez-vous à l'arrière du Niagara IMAX Theatre pour visiter la Skylon Tower.

Skylon Tower ★ [16]

14$ pour l'accès à la tour, 18$ pour l'accès à la tour et le film; été tlj 8h à 0h, reste de l'année horaire variable; 5200 Robinson St., 905-356-2651 ou 888-975-9566, www.skylon.com

Si vous grimpez au sommet des 160 m de la Skylon Tower, vous aurez à vos pieds le spectacle des chutes qui forment un tableau unique et mémorable. La tour, qui s'illumine en soirée, compte une terrasse d'observation intérieure qui se prolonge à l'extérieur ainsi que deux restaurants avec vue panoramique. Un film 3D/4D est également proposé, mais nous vous suggérons plutôt d'aller voir le film ***Niagara's Fury*** (voir p. 36), beaucoup plus captivant.

_____

Reprenez Fallsview Boulevard vers le nord et tournez à gauche dans Ferry Street, qui devient plus loin Lundy's Lane.

Niagara Falls History Museum ★ [17]

adultes 5$; mar-dim 10h à 17h, jeu jusqu'à 21h; 5810 Ferry St., 905-358-5082, https://niagarafallsmuseums.ca

Logé en partie dans une maison datant de 1874 qu'on a rénovée et à laquelle on a ajouté une annexe moderne en 2012, le Niagara Falls History Museum présente trois expositions (deux permanentes et une temporaire). Les expositions permanentes, l'une en rapport avec la guerre anglo-américaine de 1812, dont la bataille de **Lundy's Lane** se déroula à quelques pas du musée, et l'autre sur les chutes du Niagara, sont bien présentées et donnent un maximum d'informations.

Battle Ground Hotel Museum ★ [18]

dons appréciés; mi-mai à début sept ven-dim 11h à 17h; 6137 Lundy's Lane, 905-358-5082, https://niagarafallsmuseums.ca

Le Battle Ground Hotel Museum est installé dans une ancienne taverne datant du début du XIXᵉ s. S'y trouvent de nombreux artéfacts relatant la guerre de 1812. Une visite guidée *(juin à août ven-dim à 14h)* permet de faire le tour des différents sites relatifs à la célèbre bataille de Lundy's Lane. Une brochure disponible au Niagara Falls History Museum (ou sur le site Internet du Lundy's Lane Battlefield : *https://niagarafallsmuseums.ca/visit/lundyslanebattlefield*) donne les indications pour repérer ces sites si vous souhaitez les visiter par vous-même. En face se trouve le **Drummond Hill Cemetery** [19], où est enterrée Laura Secord.

_____

Les attraits suivants sont situés hors circuit, mais peuvent être rejoints en

Les chutes du Niagara et la ville de Niagara Falls

Les chutes du Niagara et la ville de Niagara Falls

Whirlpool Aero Car.

La guerre de 1812 dans la vallée du Niagara

Afin d'envahir le territoire canadien qui appartient à la Grande-Bretagne, les Américains déclarent la guerre aux Anglais le 18 juin 1812. Les combats se déroulent sur trois fronts, dont un se trouve dans les environs des Grands Lacs. Niagara se trouve alors au centre du conflit, car l'armée britannique, qui possède deux forts le long de la rivière Niagara (Fort George et Fort Erie), tente de protéger la région contre les Américains postés juste de l'autre côté de la rivière. Pendant trois ans, presque sans relâche, Niagara est en état de siège. Après plusieurs batailles, dont celle de Lundy's Lane le 25 juillet 1814, les Américains déclarent forfait et se retirent des hostilités. Le 24 décembre 1814, la guerre est officiellement terminée par la signature du traité de Gand, lequel sera ratifié par le Sénat des États-Unis le 16 février 1815, soit 40 jours après la bataille de La Nouvelle-Orléans, le 8 janvier 1815, qui est en fait la dernière bataille de la guerre de 1812.

Vue des rapides de la rivière Niagara depuis la White Water Walk.

utilisant la ligne verte du service de transport **WEGO** (voir p. 134 et la carte du rabat de la couverture avant).

Cham Shan Buddhist Temple ★ [20]
entrée libre; tlj 9h à 17h; 4303 River Rd., 905-371-2678

Ce temple bouddhique, haut de sept étages et aussi connu sous le nom de **Ten Thousand Buddhas Sarira Stupa Temple**, détonne parmi les hôtels et commerces touristiques de Niagara Falls. Pendant la belle saison, des visites guidées du temple permettent d'en apprendre davantage sur le bouddhisme. Un bon endroit pour profiter de quelques moments de quiétude loin des hordes de touristes. Une visite guidée du temple est offerte les samedi et dimanche de juin à octobre.

White Water Walk ★★ [21]
adultes 13$, enfants 8,45$; juil et août tlj 9h à 21h, mai, juin, sept et oct tlj horaire variable; 4330 River Rd., 877-642-7275, www.niagaraparks.com

La White Water Walk permet de faire une promenade sur une passerelle en bois qui longe la rivière Niagara sur plus de 300 m. Classée 6 sur une échelle de 6 quant à la force de ses rapides, la rivière est impressionnante à voir. Tôt le matin et tard le soir, cette promenade permet d'échapper à la cohue des chutes.

Whirlpool Aero Car ★ [22]
adultes 16$, enfants 10,25$; fin juin à début sept tlj 9h à 20h, reste de l'année horaire variable; 3850 Niagara Pkwy., 905-356-2241 ou 877-642-7275, www.niagaraparks.com

En service depuis 1916, le Whirlpool Aero Car est un téléphérique qui vous emmène contempler les chutes à 76,2 m de hauteur. Le tra-

Les chutes du Niagara et la ville de Niagara Falls

Niagara Parks Botanical Gardens.

jet de 1 km relie deux points du côté canadien des chutes.

Niagara Glen Nature Reserve ★★ [23]
entrée libre; tlj 8h à 23h; 3050 Niagara Pkwy., 905-354-6678, www.niagaraparks.com

Dans la partie nord de Niagara Falls se trouve la Niagara Glen Nature Reserve, où vous pourrez explorer 4 km de superbes sentiers parmi les formations rocheuses et les forêts matures au bord des tourbillons de la rivière Niagara. Le parc est particulièrement splendide en automne, lorsque le rouge et l'orangé prennent l'avantage sur le vert.

Niagara Parks Botanical Gardens ★ [24]
entrée libre; tlj du lever au coucher du soleil; 2565 Niagara Pkwy., www.niagaraparks.com

Pour profiter de vastes aires de verdure et admirer des plates-bandes aux fleurs multicolores, on peut se rendre aux Niagara Parks Botanical Gardens. Ce jardin botanique se compose de plusieurs aménagements, entre autres un jardin de roses, une rocaille et un arboretum qu'il est plaisant d'arpenter tout au long de la saison estivale. Voilà l'une des aires de détente les plus agréables de la région. Au centre du jardin botanique, on remarque le dôme de verre qui abrite le **Butterfly Conservatory ★** *(adultes 16$, enfants 10,25$; juil et août tlj 10h à 19h, reste de l'année horaire variable; 905-358-0025)*, une gigantesque volière (1 022 m²) où s'ébattent quelque 2 000 papillons. À l'intérieur, plantes et bassins d'eau où vivent des tortues et des poissons parviennent à recréer un environnement semblable à celui d'une forêt tropicale, idéal pour ces lépidoptères. Il est également possible d'observer les chrysalides.

Butterfly Conservatory.

Floral Clock [25]

entrée libre; 14004 Niagara Pkwy.

Un peu passé le jardin botanique se trouve la Floral Clock, une horloge faite de fleurs multicolores. Le design de l'horloge est changé deux fois par année afin de favoriser les fleurs de saison. Quelques minutes suffisent pour y jeter un coup d'œil.

Activités *(voir carte p. 31)*

Tours d'hélicoptère

Niagara Helicopters [29]

145$/pers., 7 passagers maximum;
tlj 9h au coucher du soleil, par beau temps;
3731 Victoria Ave., 905-357-5672,
www.niagarahelicopters.com

Il est possible de faire un tour d'hélicoptère avec cette compagnie afin de jouir d'une vue aérienne sur les chutes. Le coût peut paraître élevé pour un vol d'à peine 10 min, mais la vue est unique! À noter qu'une épaisse brume enveloppe parfois les chutes, ce qui peut nuire à la qualité du tour.

Visites guidées

Magnificent Tours [28]

à partir de 105$/6h; 6740 Fallsview Blvd.,
888-614-8687,
www.magnificentniagarafallstours.com

Magnificent Tours propose des visites guidées de Niagara Falls et des vignobles des environs à bord d'un autobus.

Niagara Fun Tours

à partir de 65$/4h; 905-329-6661,
www.niagarafuntours.com

Niagara Fun Tours organise, au départ de Niagara Falls, des visites guidées dans certains vignobles, microbrasseries et distilleries, majoritairement situés dans la région de Niagara-on-the-Lake.

Les chutes du Niagara et la ville de Niagara Falls

Journey Behind the Falls.

Tours of Niagara Falls
169$; 888-488-2074,
www.toursofniagarafalls.com
Cette entreprise propose plusieurs visites guidées à bord d'un autobus, dont l'*Ultimate Niagara Falls Experience*, qui fait le tour des incontournables de la ville en 5h.

Yoga

Namaste Niagara
60$; juil et août sam-dim; www.niagaraparks.com/events/event/namaste-niagara
Les adeptes du yoga pourront pratiquer leurs postures tout en profitant de l'énergie des chutes. Les sessions, qui se déroulent aux sites du **Journey Behind the Falls** (voir p. 36) et de la **White Water Walk** (voir p. 41), incluent le petit déjeuner au Whirlpool Restaurant ou au restaurant Queenston Heights.

Achats *(voir carte p. 31)*

Niagara Falls ne compte malheureusement pas de mignonnes boutiques aux vitrines alléchantes. À moins que vous ne recherchiez des babioles touristiques, sachez que la ville n'est pas la meilleure destination pour faire des achats intéressants.

Alimentation

Criveller Cakes [31]
4435 Portage Rd., 905-356-9441,
www.crivellercakes.ca
Vous trouverez chez Criveller Cakes de quoi satisfaire votre goût sucré : chocolats, biscuits et autres pâtisseries.

The Fudge Factory [37]
4946 Clifton Hill, 905-358-3295
Perdue parmi les établissements de mauvais goût de la rue Clifton Hill,

The Fudge Factory propose chocolat et fudge.

Galeries d'art

Ochre Gallery [35]
DoubleTree Resort & Spa by Hilton Hotel Fallsview – Niagara Falls, 6039 Fallsview Blvd., 905-358-3817,
https://ochre-gallery.business.site
Située dans le hall de l'hôtel DoubleTree (voir plus loin), l'Ochre Gallery expose les œuvres d'artistes canadiens.

Grands magasins

Canada One Outlets [30]
7500 Lundy's Lane, 905-356-8989,
www.canadaoneoutlets.com
Canada One Outlets renferme plusieurs boutiques qui vendent vêtements et accessoires.

Outlet Collection at Niagara [36]
300 Taylor Rd., 905-687-6777,
www.outletcollectionatniagara.com
En plein cœur de la région de Niagara, Outlet Collection at Niagara compte plus de 100 *outlet stores*, c'est-à-dire des boutiques où les grands magasins écoulent leurs produits à meilleur prix.

Souvenirs et cadeaux

Crock A Doodle [32]
5685 Falls Ave., 905-358-8080,
https://crockadoodle.com
Crock A Doodle permet de rapporter un souvenir original à la maison : une tasse, une assiette ou un autre objet de poterie que vous aurez peint vous-même.

Marcel Dionne Inc. [33]
4424 Montrose Rd., 905-357-7678,
www.marceldionne16.com
Marcel Dionne, ancien joueur de la Ligue nationale de hockey, est propriétaire d'une boutique adjacente au BlueLine Diner (voir ci-dessous). Vous pourrez vous y procurer de nombreux articles en rapport avec le hockey sur glace.

National Geographic Store [34]
Niagara IMAX Theatre, 6170 Fallsview Blvd., 905-358-3611, http://imaxniagara.com
Situé dans le bâtiment du **Niagara IMAX Theatre** (voir p. 38), le National Geographic Store propose de nombreux souvenirs de Niagara Falls et d'autres à l'effigie de la célèbre organisation, sans oublier plusieurs magazines imprimés et documentaires sur DVD.

Cafés et restos
(voir carte p. 31)

BlueLine Diner $ [39]
mar-ven 8h à 14h, sam-dim 7h30 à 13h30;
4424 Montrose Rd., 289-296-8785,
www.bluelinediner.com
Le BlueLine Diner sert de savoureux petits déjeuners dans une ambiance bon enfant. Le service est particulièrement sympathique. Amateur de hockey sur glace, ne manquez pas la boutique (voir plus haut) adjacente au restaurant, qui appartient à l'ancien joueur de la Ligue nationale de hockey Marcel Dionne.

PhoXyclo $-$$ [46]

mar-dim 11h à 21h; 6175 Dunn St.,
905-353-8472, http://phoxyclo.ca

Envie d'une soupe *pho*, d'un riz frit végétarien au cari ou d'un *pad thai*? Vous serez heureux de découvrir PhoXyclo, qui propose une cuisine vietnamienne tout à fait honnête.

The Queen Charlotte Tea Room $-$$ [48]

mer-dim 11h à 19h, ven jusqu'à 20h;
5689 Main St., 905-371-1350,
www.thequeencharlotteatearoom.com

Ne vous laissez pas rebuter par les environs et l'aspect tristounet du bâtiment qui abrite ce salon de thé, car vous y vivrez un très bon moment. Rendez-vous-y pour le *high tea* ou pour déguster un *fish and chips* ou encore le traditionnel rôti de bœuf. Le restaurant étant petit, il vaut mieux réserver.

Napoli Ristorante & Pizzeria $-$$$ [44]

tlj dès 16h30; 5485 Ferry St., 905-356-3345,
www.napoliristorante.ca

Pour une cuisine italienne toute en saveurs, dirigez-vous vers le Napoli Ristorante & Pizzeria. Les mets sont bien préparés et le service est amical. Ambiance familiale à l'italienne. Pizzas sans gluten disponibles.

Moksha Indian Bistro $$ [43]

tlj dès 11h30; 5993 Stanley Ave.,
905-354-8585, www.mokshaniagara.com

En plus des classiques de la cuisine indienne, le Moksha Indian Bistro sert quelques originalités dont d'excellents pains *naan* farcis.

Koutouki Greek Cuisine $$-$$$ [42]

mar-ven 11h30 à 21h, sam-dim 12h à 21h;
5745 Ferry St., 905-354-6776,
http://koutoukiniagara.com

La Koutouki Greek Cuisine concocte une authentique cuisine grecque. Les plats sont généreux et la pieuvre est particulièrement savoureuse.

Paris Crêpes Café $$-$$$ [45]

lun-ven 11h à 14h et 17h à 20h, sam-dim
10h à 14h et 17h à 20h30; 4613 Queen St.,
289-296-4218, www.pariscrepescafe.com

Canard confit, bœuf bourguignon, escargots, galette de sarrasin savoyarde, salade niçoise, crème brûlée… le menu ne trompe pas: on est bel et bien dans un bistro français. Le mardi, on peut apporter son vin (aucuns frais de bouchon s'il provient de la région). Service amical.

Weinkeller $$$ [50]

tlj dès 17h; 5633 Victoria Ave., 289-296-8000,
www.weinkeller.ca

En plus d'élaborer une cuisine de qualité où prédominent les grosses pièces de viande, Weinkeller propose six vins (trois blancs et trois rouges) faits sur place. Ambiance familiale.

Casa Mia Ristorante $$$-$$$$ [40]

lun-ven 11h30 à 14h30 et 17h à 0h, sam 17h
à 0h; 3518 Portage Rd., 905-356-5410,
www.casamiaristorante.com

Excentré par rapport aux chutes du Niagara, le Casa Mia Ristorante offre une navette à partir de celles-ci aux convives qui veulent aller goûter à ses délices italiens. Le menu affiche les classiques de la Botte que vous pourrez accompagner d'un verre de vin ou d'un cocktail.

Summit Suite Buffet/ Revolving Dining Room
$$$-$$$$ [47]
5200 Robinson St., 905-356-2651 ou
888-975-9566, www.skylon.com

Les personnes qui désirent avant
tout admirer les chutes pourront
aller manger à l'un ou l'autre des
restaurants de la **Skylon Tower**
(voir p. 39), qui dévoilent une vue
splendide. Le **Summit Suite Buf-
fet** *(mi-mai à oct lun-sam 11h30 à
15h et 17h à 22h, dim 10h30 à 15h)*
propose une formule buffet appré-
ciée des familles, alors que la **Revol-
ving Dining Room** *(tlj 11h30 à 15h
et 16h30 à 22h)*, plus chère et plus
chic, présente un menu qui fait la
part belle aux fruits de mer. Dans ce
restaurant tournant, seule la sec-
tion des tables fait un tour de 360°
à l'heure, ce qui peut causer des
étourdissements à certaines per-
sonnes. La nourriture est correcte,
sans plus, et les prix sont plutôt éle-
vés. Certes, on paie pour la vue, mais
quelle vue!

Tide & Vine Oyster House
$$$-$$$$ [49]
lun-sam 11h30 à 22h, dim 11h à 22h;
3491 Portage Rd., 905-356-5782,
www.tideandvine.com

Hors des circuits touristiques, la
Tide & Vine Oyster House sert
des huîtres à longueur d'année.
Son menu met aussi en valeur les
autres produits de la mer tels que
pétoncles, homard, thon, moules
et palourdes. Le tout est d'une fraî-
cheur impeccable. Ambiance décon-
tractée.

Skylon Tower.

Elements on the Falls
$$$-$$$$$ [41]
tlj 11h30 à 22h; Table Rock Welcome Centre,
6650 Niagara Pkwy., 905-354-3631

On vient dans ce restaurant récemment rénové pour son emplacement
idéal surplombant les chutes, là où
elles sont les plus belles. Une grande
baie vitrée permet à toute la clientèle d'en profiter, ce qui justifie les
prix élevés pour un menu correct.
Un excellent endroit pour admirer les chutes lorsqu'elles sont illu-
minées en soirée, un cocktail à la
main. Réservations recommandées
en période estivale.

AG Inspired Cuisine
$$$$ [38]
Sterling Inn & Spa, 5195 Magdalen Ave.,
289-292-0005, www.agcuisine.com

Installé dans le Sterling Inn & Spa
(voir plus loin), le restaurant AG

Les chutes du Niagara et la ville de Niagara Falls

Inspired Cuisine est l'une des meilleures tables de Niagara Falls. Le menu affiche des mets fins mettant en valeur les produits ontariens et québécois. Les plats sont divinement présentés et le service est à l'avenant. Belle sélection de vins de la péninsule du Niagara.

Bars et boîtes de nuit

(voir carte p. 31)

Jack's Cantina [51]
5043 Centre St., 905-356-8410,
www.facebook.com/jacks.cantina
La terrasse de la Jack's Cantina est prise d'assaut dès qu'arrive le beau temps.

Niagara Brewing Company [52]
4915-A Clifton Hill, 905-374-4444,
https://niagarabrewingcompany.com
Située sur l'artère la plus animée de Niagara Falls, cette microbrasserie produit depuis 2015 des bières qui se laissent facilement déguster. Menu typique de ce genre d'établissement (ailes de poulet, saucisses allemandes) et terrasse.

R5 Patio & Bar [53]
Fallsview Casino Resort, 6380 Fallsview Blvd.,
www.fallsviewcasinoresort.com
Avec son décor moderne et sa vue sur les chutes, le R5 Patio & Bar est un endroit agréable pour prendre un verre. On peut même y réserver sa propre banquette avec foyer.

Culture et divertissement
(voir carte p. 31)

Casino Niagara [54]
tlj 24h sur 24; 5705 Falls Ave.,
888-325-5788, www.casinoniagara.com
Le Casino Niagara renferme une succession de salles de jeux bruyantes et clinquantes à souhait.

Fallsview Casino Resort [55]
6380 Fallsview Blvd., 888-325-5788,
www.fallsviewcasinoresort.com
Le Fallsview Casino Resort abrite une salle de spectacle qui présente plusieurs concerts. Les personnes de moins de 19 ans ne sont pas admises.

Oh Canada Eh? Dinner Show [56]
38$; fin avr à mi-oct horaire variable;
8585 Lundy's Lane, 800-467-2071,
www.ohcanadaeh.com
Ce dîner-spectacle musical attire les familles depuis 1994 grâce à ses numéros de chant qui célèbrent la musique et la culture canadiennes.

Logement *(voir carte p. 31)*

HI Niagara Falls $-$$ [61]
4549 Cataract Ave., 905-357-0770 ou
888-749-0058, www.hostellingniagara.com
Située à 4 km au nord des chutes, cette auberge de jeunesse propose des dortoirs (mixtes ou non) et des chambres privées. Les aires communes sont particulièrement agréables. Salles de bain partagées. Wi-Fi gratuit. À partir des chutes, prenez la ligne verte de **WEGO** (voir p. 134 et la carte du rabat de la couverture avant) pour vous y rendre.

Fallsview Casino Resort.

Falls Avenue Resort Hotels $$$

www.fallsviewwaterpark.com

Quatre hôtels font partie de ce complexe touristique qui plaira aux familles en visite à Niagara Falls : le **Clifton Victoria Inn at the Falls** [57] *(5591 Victoria Ave., 905-357-1626 ou 800-688-3535)*, le **Sheraton on the Falls Hotel** [63] *(5875 Falls Ave., 905-374-4445 ou 888-229-9961)*, le **Skyline Hotel & Waterpark** [64] *(4800 Bender St., 905-374-4444 ou 800-263-7135)* et le **Crowne Plaza Niagara Falls Hotel** [58] *(5685 Falls Ave., 905-374-4447 ou 877-424-4188)*. Le prix de leurs chambres pour quatre personnes comprend des laissez-passer de deux jours pour l'immense parc aquatique intérieur qu'est le Fallsview Indoor Waterpark (ceux qui ne sont pas clients du complexe payent 52$/jour pour y accéder).

Greystone Manor Bed & Breakfast $$$ [60]

4939 River Rd., 905-357-7373 ou 877-237-4746, www.greystone-niagara.ca

Ce magnifique manoir centenaire est situé sur la panoramique River Road, à moins de 10 min en voiture des chutes. Les propriétaires sont aux petits soins avec chacun de leurs clients, et les petits déjeuners sont particulièrement savoureux. Certainement l'une des adresses les plus charmantes du coin. Deux personnes maximum par chambre et clientèle de 14 ans et plus seulement.

Sterling Inn & Spa $$$-$$$$ [65]

5195 Magdalen St., 289-292-0000 ou 877-783-7772, www.sterlingniagara.com

Plutôt austère de l'extérieur (l'édifice logeait autrefois un fabricant de crème glacée, d'où la tour en forme

Vue des chutes depuis le Marriott Gateway on the Falls.

de bouteille de lait), le Sterling Inn & Spa cache un intérieur superbe alliant modernité et matériaux rustiques. Les chambres se révèlent très spacieuses; on aime bien y prendre le petit déjeuner (déposé à la porte et inclus dans le prix de la chambre, tout comme le stationnement). L'hôtel comprend un excellent restaurant, AG Inspired Cuisine (voir précédemment).

DoubleTree Fallsview Resort & Spa by Hilton – Niagara Falls $$$$$ [59]
6039 Fallsview Boul., 905-358-3817, www.niagarafallsdoubletree.com

Situé à une dizaine de minutes à pied des chutes, le DoubleTree Fallsview Resort & Spa propose, sur 18 étages, 224 chambres spacieuses et confortables à la décoration classique. Certaines d'entre elles offrent une vue sur la chute américaine. Une piscine intérieure à l'eau salée, un bain à remous extérieur, un spa, une galerie d'art et un restaurant complètent les installations. À votre arrivée, on vous offrira de délicieux biscuits. Stationnement payant (20$/jour).

Marriott Gateway on the Falls $$$$$ [62]
6755 Fallsview Blvd., 905-374-1077 ou 800-618-9059, www.marriottgatewayonthefalls.com

Les grandes chaînes hôtelières se donnent rendez-vous sur les hauteurs de la ville, profitant ainsi d'une vue plongeante à couper le souffle, en particulier la nuit, lorsque les chutes s'illuminent. Le Marriott Gateway on the Falls bénéficie sans nul doute du meilleur emplacement. On y propose des chambres au confort impeccable, dont certaines offrent une vue magnifique sur les chutes. Stationnement payant.

2

Niagara-on-the-Lake et ses environs

Niagara-on-the-Lake

À voir, à faire

(voir carte p. 53)

L'histoire de **Niagara-on-the-Lake** ★★, appelée Niagara de 1798 à 1970, remonte à la fin du XVIIIe s., alors que la ville se nommait Newark et qu'elle fut, de 1791 à 1796, la capitale du Haut-Canada. Il ne demeure cependant rien de cette époque, car la ville fut incendiée au cours de la guerre de 1812, qui opposa les colonies britanniques aux États-Unis. Au lendemain de cette invasion, la ville est reconstruite et y sont alors érigées d'élégantes demeures de style anglais, lesquelles ont été merveilleusement bien conservées et confèrent encore aujourd'hui tout le charme à cette communauté située à l'embouchure de la rivière Niagara. Ces résidences, dont certaines ont été reconverties en d'élégantes auberges, accueillent, chaque année, des vacanciers venus profiter de l'atmosphère très *British* de la ville, assister à l'une des représentations théâtrales lors du réputé **Shaw Festival** (voir p. 145) ou encore découvrir les nombreux vignobles situés dans les environs.

Queen's Royal Park ★ [1]
angle Front St. et King St.
Le très joli Queen's Royal Park offre de splendides vues sur le lac Ontario et le Fort Niagara du côté des États-Unis. Une gloriette ajoute au charme de l'endroit. Construite dans les années 1980 pour le film *The Dead Zone* du réalisateur canadien David Cronenberg, elle fut offerte à la Ville à la fin du tournage.

Niagara-on-the-Lake et ses environs

Niagara-on-the-Lake et ses environs

À voir, à faire ★

Niagara-on-the-Lake
1. CV Queen's Royal Park
2. BV Queen Street
3. BV Memorial Clock Tower
4. CV Niagara Apothecary
5. CW Niagara Historical
        Society Museum
6. CV Lieu historique national
        du Fort-George
7. CX Two Sisters Vineyards
8. CX Peller Estates
9. CX McFarland House
10. CY Reif Estate Winery
11. CY Inniskillin Wines
12. CX Jackson-Triggs Winery
13. CX Stratus Vineyards
14. BY Wayne Gretzky Estates
15. BX Konzelmann Estate Winery

16. BY Southbrook Vineyards
17. CV St. Mark's Rectory
18. CV Masonic Hall/King Street Gallery
19. BV Muirhead House
20. CV Stewart-McLeod House
21. BV Kerr-Wooll House
22. BV Richardson-Kiely House

St. Davids
23. CZ Ravine Vineyard Estate Winery
24. BZ Château des Charmes

Queenston
25. CZ Laura Secord Homestead
26. CZ Queenston Heights Park/Brock's
        Monument/Landscape of Nations
27. CZ Mackenzie Printery
        & Newspaper Museum

Activités ❋

Niagara-on-the-Lake
28. AW eSkoot Niagara
29. AW Zoom Leisure Bikes

Queenston
30. CZ Bruce Trail

Achats ■

Niagara-on-the-Lake
31. BV BeauChapeau
32. BV Edward Spera Gallery
33. BV Greaves Jams and Marmalades
34. BX Harvest Barn Country Market
35. CX Kurtz Orchards
36. BV Maple Leaf Fudge
37. BY NEOB Lavender Boutique
38. CX Picard's

39. CX The Market at the Village
40. BV Valle Verde
41. CY Walker's Country Market
42. CY Wine Country Vintners

St. Davids
43. CZ Chocolate FX

Queenston
44. CZ The Ice House Winery

Cafés et restos ●

Niagara-on-the-Lake
45. AW Backhouse
46. BV Balzac's Coffee Roasters
47. BV Cows
48. CV Masaki Sushi
49. CV Niagara's Finest Thai
50. BV Nina Gelateria & Pastry Shop
51. BV Shaw Café and Wine Bar

52. CX The Winery Restaurant
        at Peller Estates
53. BV Treadwell

St. Davids
54. CZ Ravine Vineyard
        Estate Winery Restaurant
55. CZ The Old Firehall

 Suite de la liste p. 54

Niagara-on-the-Lake
centre-ville

Lac Ontario

William Nassau Park

Johnson St.

Prideaux St.

Front St.

Nassau St.

Dorchester St.

Butler St.

Mississauga St.

Gage St.

Queen St.

King St.

Ricardo St.

Byron St.

Simcoe Park

Picton St.

Wellington St.

Davy St.

Platoff St.

Castlereagh St.

St. Catharines, Vineland

Centre St.

Simcoe St.

Gate St.

William St.

Victoria St.

Regent St.

King St.

Mary St.

Anne St.

John St.

Queen's Parade

Queenston, Niagara Falls, St. Davids

Queen's Parade Park

Memorial Park

0   200   400m

©ULYSSE

Localisation du circuit

Toronto

Lac Ontario

Lac Ontario

voir
Niagara-on-the-Lake
centre-ville

Lakeshore Rd.

Niven Rd.

Hunter Rd.

East and West Ln.

East and West Ln.

Four Mile Creek Rd.

Concession 6 Rd.

Concession 4 Rd.

Niagara Stone Rd.

Virgil

Line 1 Rd.

Line 2 Rd.

Line 3 Rd.

Line 4 Rd.

Line 5 Rd.

Line 6 Rd.

Line 7 Rd.

Line 8 Rd.

Line 9 Rd.

Concession 2 Rd.

Concession 1 Rd.

Niagara Pkwy

Niagara River

John St.

Queen's Parade

ÉTATS-UNIS
CANADA

Niagara Pkwy

Linwell Rd.

Welland Canals Pkwy

Scott St.

Bunting Rd.

Welland Ave.

Canal Welland

ST. CATHARINES

Niagara District Airport

Concession 7 Rd.

Concession 5 Rd.

Four Mile Creek Rd.

Queenston Rd.

St. Davids

York Rd.

York Rd.

Queenston

Bruce Trail

Bruce Trail

QEW

Queen Elizabeth Way

0   2   4km

©ULYSSE

Niagara-on-the-Lake et ses environs *(suite)*

Bars et boîtes de nuit ♪

Niagara-on-the-Lake
56. CX   Niagara Oast House Brewers

57. BY   Silversmith Brewing Company
58. CV   The Irish Harp Pub

Logement ▲

Niagara-on-the-Lake
59. BV   124 on Queen Hotel & Spa
60. CX   Globetrotters B&B
61. AW   Matisse Bed & Breakfast
62. BV   Oban Inn
63. BW   Pillar and Post

64. CV   Prince of Wales
65. CX   Riverbend Inn & Vineyard
Queenston
66. CZ   Everheart Country Manor
67. CZ   The Red Coat

Empruntez King Street jusqu'à l'angle de Queen Street.

Queen Street ★ [2]

Il est très agréable de se balader dans la jolie Queen Street. Auberges, boutiques, cafés et restaurants sont logés dans de superbes bâtiments qui donnent un cachet tout à fait charmant à la rue. Au milieu de la rue entre Regent Street et King Street se dresse la **Memorial Clock Tower ★** [3], une attrayante tour d'horloge inaugurée en 1922 et dédiée aux Canadiens morts au combat pendant la Première Guerre mondiale.

Niagara Apothecary [4]

dons appréciés; mi-mai à fin juin tlj 12h à 18h, juil et août lun-ven 12h à 18h, sam-dim 11h à 18h, début sept à mi-oct sam-dim 12h à 18h; 5 Queen St., 905-468-3845, www.niagaraapothecary.ca
En activité de 1820 à 1964, l'apothicaire de Niagara a été restauré tel

qu'il était en 1869 et on peut désormais y voir de nombreux médicaments utilisés à l'époque. Prenez le temps de lire quelques étiquettes dont la liste d'ingrédients peut parfois surprendre…

Reprenez King Street vers le sud, puis prenez à gauche Castlereagh Street.

Niagara Historical Society Museum [5]

adultes 5$; mai à oct tlj 10h à 17h, nov à avr tlj 13h à 17h; 43 Castlereagh St., 905-468-3912, www.niagarahistorical.museum
Le Niagara Historical Society Museum présente une collection d'outils et d'instruments relatifs à la vie quotidienne dans la région au XIXe s. ainsi que des uniformes et des armes militaires.

Empruntez Wellington Street à gauche jusqu'à Queen's Parade, que vous prendrez à droite pour rejoindre la Niagara Parkway.

Two Sisters Vineyards.

Lieu historique national du Fort-George ★ [6]

11,70$; mai à oct tlj 10h à 17h, nov à avr sam-dim 10h à 17h; Niagara Pkwy. S., 1 km à l'est du centre-ville par la Niagara Parkway, 905-468-6614, www.pc.gc.ca/fortgeorge

Au lendemain de la guerre de l'Indépendance américaine, les Britanniques cèdent aux États-Unis le Fort Niagara, qui s'élève du côté est de la rivière Niagara (vous pourrez l'apercevoir depuis Queen's Royal Park); aussi, pour assurer la protection des colonies demeurées britanniques, les autorités envisagent-elles la construction d'un autre fort. De 1797 à 1799, le Fort George est construit du côté ouest de la rivière. Quelques années s'écoulent à peine avant que les deux pays n'entrent de nouveau en guerre. En 1812, le conflit éclate et la région de Niagara-on-the-Lake (qui s'appelle alors Newark), limitrophe des États-Unis, est au cœur des hostilités. Le Fort George est alors conquis, puis détruit en 1813. Il est cependant reconstruit en 1820. Aujourd'hui, il est possible de visiter ses installations. Dans l'enceinte, vous pourrez découvrir entre autres les quartiers des officiers, la salle des gardes et les casernes.

Les prochains attraits touristiques sont situés en périphérie du centre de Niagara-on-the-Lake. Il vaut mieux se déplacer en voiture pour les rejoindre.

Two Sisters Vineyards ★★★ [7]

entrée libre; tlj 10h à 20h; 240 John St. E., 2,5 km au sud-est du centre-ville par la Niagara Parkway, 905-468-0592, www.twosistersvineyards.com

Depuis 2014, la famille Marotta, et plus précisément les sœurs Angela et Melissa, produisent d'excellents crus régulièrement primés. Dans cet établissement nommé meilleur petit vignoble aux National Wine Awards

Niagara-on-the-Lake et ses environs - Niagara-on-the-Lake

La Route des vins de la péninsule du Niagara

Plus de 75% des vignes canadiennes se trouvent dans la péninsule du Niagara, ce qui en fait la région viticole la plus importante au Canada. La culture des vignes est rendue possible dans cette région grâce à un microclimat attribuable à l'influence modératrice des lacs Érié et Ontario, qui confère à la région un climat semblable à celui de la région de Bourgogne en France.

Le vin de glace est le plus connu de tous les vins de la péninsule. La région est d'ailleurs devenue le principal producteur de ce type de vin dans le monde, surpassant même l'Allemagne à ce titre. Le riesling vient ensuite largement en tête des vins blancs élaborés dans la péninsule, suivi du chardonnay, du pinot gris et du gewurztraminer. Parmi les vins rouges, mentionnons notamment le merlot et le cabernet franc.

La **Route des vins** ★★★ de la péninsule du Niagara, qui compte plus de 80 vignobles, englobe les régions viticoles bordées par le lac Ontario au nord, la rivière Niagara à l'est, la rivière Welland au sud et la ville de Hamilton à l'ouest. Chaque vignoble comporte une boutique où l'on peut se procurer ses crus et en faire la dégustation. Il s'agit parfois de la seule façon de se procurer les vins des vignobles, car certains ne sont pas disponibles dans les magasins de la Liquor Control Board of Ontario (LCBO).

À noter que la «Route des vins» n'est pas une seule et même route, mais qu'il s'agit plutôt de plusieurs routes et avenues (route 81, Fourth Avenue, Cherry Avenue et Mountainview Road, entre autres) qui concentrent la majorité des vignobles.

Dans ce guide, nous entreprenons l'exploration de la Route des vins à travers trois circuits: «Niagara-on-the-Lake et ses environs», voir p. 51; «St. Catharines», voir p. 74; et «La région de Twenty Valley», voir p. 82. Pour planifier votre itinéraire, vous pouvez également consulter le site Internet de **Wine Country Ontario** *(https://winecountryontario.ca)*, qui s'avère une excellente source d'information.

McFarland House.

Niagara-on-the-Lake et ses environs - Niagara-on-the-Lake

of Canada en 2018, on pourrait s'attendre à découvrir une plantation de modeste envergure, mais ce serait mal connaître les deux sœurs qui ont des idées de grandeur. Certes, les vignes ne couvrent que 24 ha, mais l'imposant bâtiment qui accueille les visiteurs est de toute beauté et rappelle certains monastères d'Italie, d'où vient la famille Marotta. Les vins sont d'une qualité exceptionnelle (avec des prix en conséquence) et l'expérience de dégustation (20$/4 vins) est très professionnelle. Restaurant d'inspiration italienne avec terrasse. À ne pas manquer!

Peller Estates ★ [8]
entrée libre; dim-jeu 10h à 19h, ven-sam 10h à 21h; 290 John St. E., 2,5 km au sud-est du centre-ville par la Niagara Parkway, 905-468-4678 ou 888-673-5537, www.peller.com

D'origine hongroise, la famille Peller a bourlingué un peu partout au Cana-

da avant de s'établir pour de bon en Ontario dans les années 1990. Ouvert en 2001, le vignoble Peller Estates est rapidement devenu un incontournable en ce qui concerne le vin pétillant. Leur secret? Ils lui ajoutent un peu de vin de glace, qui lui confère une petite note sucrée très agréable. Le Greatest Winery Tour *(35$)* permet entre autres de goûter aux divers vins de glace dans le tout nouveau *lounge* fait de glace qui rappelle un igloo (n'ayez crainte, on vous fournira un parka). Le vignoble renferme un restaurant très réputé (voir p. 66).

McFarland House ★ [9]
6,65$; mi-mai à début sept tlj 12h à 17h, début sept à fin mai sam-dim 12h à 17h; 15927 Niagara Pkwy. S., 3 km au sud du centre-ville par la Niagara Parkway, 905-468-3322, www.niagaraparks.com

La belle McFarland House, de style georgien, fut bâtie en 1800. Parce

Niagara-on-the-Lake, ville historique

Lors de votre promenade à Niagara-on-the-Lake, vous ne pourrez qu'être surpris par la quantité de bâtiments historiques qui témoignent du passé loyaliste de la ville. Classé site historique national, son centre compte près de 100 bâtiments construits entre 1815 et 1859.

Pour découvrir certains de ces bâtiments, procurez-vous le guide des visiteurs, téléchargeable gratuitement *(www.niagaraonthelake.com/ visitors-guide)* et aussi offert en version papier à l'office de tourisme *(26 Queen St.)*. Il présente un agréable itinéraire à faire à pied.

Voici quelques bâtiments historiques notables :

Construit dans les années 1850 avec des briques importées d'Angleterre, le **St. Mark's Rectory** [17] *(on ne visite pas; 17 Byron St., angle King St.)* arbore une architecture qui s'inspire du style des villas toscanes.

Le **Masonic Hall** [18] *(153 King St., de biais avec le St. Mark's Rectory)* a été bâti en 1816 sur le site de la Masonic Lodge, où s'est tenue la première réunion du parlement du Haut-Canada et qui fut incendiée en 1813. Après avoir été un magasin, une école, puis une caserne militaire jusqu'en 1870, le Masonic Hall abrite de nouveau la loge maçonnique de la ville ainsi que la **King Street Gallery** *(juin à mi-sept tlj 10h à 18h, jeu-sam jusqu'à 19h, mi-sept à mai mer-lun 11h à 17h; 905-321-6516, http://kingstgallery.com)*, qui expose des œuvres d'artistes canadiens.

La **Muirhead House** [19] *(28 Prideaux St.)* fut rebâtie en 1817 par le docteur Muirhead sur les ruines de son ancienne maison détruite par les Américains en 1813. Le bâtiment abrite aujourd'hui un *bed and breakfast*.

La **Stewart-McLeod House** [20] *(on ne visite pas; 42 Prideaux St.)* a été érigée en 1830 par Alexander Stewart, le fils de l'un des membres fondateurs de la Law Society of Upper Canada.

La **Kerr-Wooll House** [21] *(on ne visite pas; 69 Prideaux St.)* a été construite en 1815 par le physicien et chirurgien Robert Kerr.

Bâtie en 1832 par Charles Richardson, membre du parlement du Haut-Canada de 1834 à 1841, la **Richardson-Kiely House** [22] *(209 Queen St.)*, qui affiche un style georgien, abrite aujourd'hui le Charles Hotel.

Niagara-on-the-Lake et ses environs - Niagara-on-the-Lake

Inniskillin Wines.

qu'elle logeait l'hôpital qui s'occupait à la fois des Anglais et des Américains pendant la guerre de 1812, elle fut l'une des seules maisons à avoir été épargnées par l'incendie provoqué par les Américains qui a dévasté la ville en 1813. Construite par John McFarland, un Écossais engagé dans la marine britannique, venu dans les colonies lors de la Révolution américaine, la maison est encore garnie de meubles datant des années 1800 à 1840 et abrite aujourd'hui un musée qui permet de découvrir les objets de la vie quotidienne à cette époque. Un salon de thé *(mi-mai à début sept; réservations recommandées)* y a également été aménagé.

Reif Estate Winery [10]
15608 Niagara Pkwy., 905-468-7738, www.reifwinery.com

Ce vignoble a créé un jardin des sens original, le Sensory Garden, qui rappelle les couleurs, arômes et saveurs utilisés pour décrire les vins. On peut s'y promener, verre à la main. Pizzas, *gelati*, assiettes de fromages et charcuteries sont servies à l'extérieur en été.

Inniskillin Wines [11]
entrée libre; mai à oct tlj 10h à 18h, nov à avr tlj 10h à 17h; 1499 Niagara Pkwy., 5,5 km au sud-est du centre-ville par la Niagara Parkway, 905-468-2187 ou 888-466-4754, www.inniskillin.com

Avec Jackson-Triggs (voir plus loin), Inniskillin est le vignoble ontarien le plus connu à travers le monde. En 1984, il fut le premier de la région à produire du vin de glace et, depuis, il ne cesse de remporter des prix et des mentions pour la qualité de ses produits. Des tours sont organisés *(20$; juin à août tlj 10h30 à 16h30)*, de même qu'une visite très intéressante ayant pour thème le vin de

Niagara-on-the-Lake

Niagara-on-the-Lake et ses environs - Niagara-on-the-Lake

Konzelmann Estate Winery.

glace *(30$; sam-dim à 11h et 13h)*. Ne manquez pas de goûter à leurs meilleurs crus *(5$ à 10$/dégustation)* au Icewine Tasting Bar.

Jackson-Triggs Winery ★ [12]

entrée libre; mai à sept tlj 10h à 18h30, oct à avr tlj 10h à 17h30; 2145 Niagara Stone Rd., 2,5 km au sud-ouest du centre-ville par la route 55, 905-468-4637 ou 866-589-4637, www.jacksontriggswinery.com

Jackson-Triggs est le vignoble le plus primé du Canada. Que ce soit ses vins de la vallée de l'Ontario ou de la vallée de l'Okanagan, en Colombie-Britannique, ils sont tous reconnus pour leur qualité. Tout comme Inniskillin Wines (voir plus haut), ses vins de glace sont réputés. Des visites guidées *(15$; juin à août tlj 10h30 à 15h30, sept à mai ven-sam horaire variable)* permettent de faire le tour des vignes, de voir la salle de production et d'en apprendre davan-tage sur l'histoire du vignoble. La boutique propose à la clientèle de goûter *(10$/4 dégustations, 5$/vin de glace)* à certains produits. L'été, des concerts sont présentés à l'extérieur.

Stratus Vineyards [13]

entrée libre; mai à oct tlj 11h à 17h; 2059 Niagara Stone Rd., 3 km au sud-ouest du centre-ville par la route 55, 905-468-1806, www.stratuswines.com

Stratus, un petit producteur en activité depuis 2000, produit entre autres un vin à partir d'un cépage plutôt rare, le petit verdot, qui provient de la région de Bordeaux. En raison de sa maturité tardive, on ne le retrouve presque plus en Europe, mais il apparaît de plus en plus en Ontario. Prenez la peine de tremper les lèvres dans cet excellent vin. Des visites guidées sont proposées sur réservation.

Niagara-on-the-Lake et ses environs - Niagara-on-the-Lake

Wayne Gretzky Estates [14]
entrée libre; dim-jeu 10h à 19h, ven-sam 10h à 21h; 1219 Niagara Stone Rd., 844-643-7799, www.gretzkyestateswines.com

Ouvert à longueur d'année, le vignoble du célèbre ex-hockeyeur Wayne Gretzky est intéressant à visiter en hiver, alors qu'on peut déguster vin, whisky et bouchées sur la terrasse chauffée située au bord de la patinoire aménagée dans le jardin. En été, l'endroit est envahi par les touristes et il faut parfois jouer du coude pour prendre part à une dégustation.

Konzelmann Estate Winery [15]
entrée libre; mai à oct tlj 10h à 18h, nov à avr lun-ven 10h à 17h, sam-dim 10h à 18h; 1096 Lakeshore Rd., 6 km à l'ouest du centre-ville par la route 87, 905-935-2866, www.konzelmann.ca

Un des plus anciens vignobles de la région, situé au bord du lac Ontario, il offre une vue superbe du haut de sa tour. En marchant entre les vignes, on peut s'approcher du lac pour s'offrir un beau moment de détente. Vous pourrez y déguster des cuvées de renom, entre autres ses vins de glace qui sont particulièrement appréciés. Ancien verger de pêches, il produit également un vin de dessert à base de ce fruit. Des visites guidées *(10$; tlj sur réservation)* sont proposées.

Southbrook Vineyards ★★★ [16]
entrée libre; mai à oct tlj 10h à 18h, nov à avr tlj 11h à 17h; 581 Niagara Stone Rd., 11 km au sud-ouest du centre-ville par la route 55, 905-641-2548 ou 888-581-1581, www.southbrook.com

Ce vignoble qui privilégie l'agriculture biologique reçoit ses visiteurs dans un étonnant pavillon d'accueil et de dégustation qui fut le premier bâtiment de vignoble au Canada à avoir reçu la certification LEED (Leadership in Energy and Environmental Design) «Or». Il profite d'un judicieux éclairage naturel et offre une vue splendide sur les vignes à l'arrière. Ne manquez pas de goûter aux délicieux vins (dont un remarquable vin orange) de ce producteur unique *(10$/4 dégustations, gratuit à l'achat de 50$ et plus)*. Sûrement l'un des vignobles les plus intéressants de la région.

Activités *(voir carte p. 53)*

Vélo et mobylette

eSkoot Niagara [28]
mai à oct; 477 Mississauga St., 289-271-0663, https://eskoot.com
Location de mobylettes électriques. Il faut être âgé de 18 ans et plus, ou de 16 ans à la condition d'être accompagné d'un adulte membre de sa famille. Aucun permis ni assurances ne sont requis.

Zoom Leisure Bikes [29]
431 Mississauga St., 905-468-2366 ou 866-811-6993, https://zoomleisure.com
En plus de proposer la location de vélos, cette entreprise organise des excursions guidées à vélo dans les vignobles de la région.

Visites guidées

Crush on Niagara Wine Tours
à partir de 149$; 905-562-3373 ou 866-408-9463, www.crushtours.com
Fondée par un sommelier, vigneron et auteur de livres sur le vin, Crush on Niagara Wine Tours est l'entreprise idéale pour visiter la Route des vins. Plusieurs lieux de départ dans la péninsule.

Niagara Fun Tours
95$/6h; 905-329-6661, www.niagarafuntours.com
Basé à Niagara Falls (voir p. 43), Niagara Fun Tours organise aussi des visites guidées dans certains vignobles de la région au départ de Niagara-on-the-Lake.

Winery Tours of Niagara
à partir de 89$/5h; 800-405-0670, www.winerytoursofniagara.com
Winery Tours of Niagara propose des visites guidées dans certains vignobles. Son *Niagara's Signature Wine Tour (125$/5h)*, en plus de la visite de vignobles, comprend le repas du midi dans un restaurant de Niagara-on-the-Lake.

Achats *(voir carte p. 53)*

Alimentation

Niagara-on-the-Lake compte quelques marchés, dont les deux suivants:

Harvest Barn Country Market [34]
tlj 9h à 17h; 1822 Niagara Stone Rd., 905-468-3224, www.harvestbarn.ca

The Market at the Village [39]
fin mai à début oct sam 8h à 13h; 111 Garrison Village Dr., 905-932-5936, https://marketatthevillage.ca

Greaves Jams and Marmalades [33]
55 Queen St., 905-468-7831 ou 800-515-9939, www.greavesjams.com
Cette boutique se spécialise dans les gelées, les marmelades et les confitures, toutes délicieuses.

Greaves Jams and Marmalades.

Kurtz Orchards [35]
16006 Niagara River Pkwy., 888-909-2937,
www.kurtzorchards.com
Pour découvrir les produits locaux
(gelée de vin, beurre de fruit, sauce
aux pêches...), faites un arrêt chez
Kurtz Orchards, que vous croiserez avant d'entrer en ville lorsque
vous arriverez de Niagara Falls. Le
produit culte de l'endroit est le fromage Asiago, auquel on a ajouté des
herbes et des épices, et qui accom-
pagne tout et n'importe quoi, aussi
bien cru que cuit.

Maple Leaf Fudge [36]
114 Queen St., 905-468-2211,
https://mapleleaffudge.com
Pour un mémorable morceau de
fudge, cette friandise fondante et
sucrée à souhait, rendez-vous chez
Maple Leaf Fudge.

Picard's [38]
1835 Niagara Stone Rd., 905-468-2455,
www.picardspeanuts.com
Amateur de noix, voici votre paradis!
Picard's vend, en plus des arachides
sous toutes les formes et à toutes
les saveurs (au ketchup, au wasabi,
enrobées de chocolat...), des noix
de macadamia et de cajou et des
graines de sésame et de soya, entre
autres.

Walker's Country Market [41]
15796 Niagara Pkwy., 905-468-2767,
www.walkerscountrymarket.com
Cette ferme familiale vend des fruits
et légumes de même que certains
produits transformés comme des
confitures et des marinades. Toutefois, sa réputation repose surtout
sur ses tartes maison, particulièrement appétissantes.

Niagara-on-the-Lake et ses environs - Niagara-on-the-Lake

Niagara-on-the-Lake et ses environs - Niagara-on-the-Lake

NEOB Lavender Boutique.

Art et artisanat

Edward Spera Gallery [32]
91 Queen St., 905-468-7447 ou
866-668-7447, www.speraart.ca
Edward Spera voyage à travers le
monde afin de trouver les sources
d'inspiration pour ses peintures qui
représentent des animaux dans leur
habitat naturel.

Souvenirs et cadeaux

NEOB Lavender Boutique
[37]
758 Niagara Stone Rd., 905-682-0171 ou
877-320-6362, www.neoblavender.com
Producteur de lavande, NEOB Lavender possède une boutique remplie de
nombreux produits dérivés de cette
plante. Le jardin de lavande devient
un réel ravissement pour les yeux en
période de floraison (généralement
en juin et juillet).

Vêtements et accessoires

BeauChapeau [31]
42 Queen St., 905-468-8011 ou
877-968-7428, https://beauchapeau.com
Si vous avez une tête à chapeau,
vous trouverez certainement de
quoi vous couvrir dans cette jolie
boutique. Chapeaux pour hommes
et femmes.

Valle Verde [40]
55 Queen St., 905-468-3698, www.valleverde.ca
Valle Verde dispose de beaux vêtements originaux pour femmes.

Vins

Wine Country Vintners [42]
27 Queen St., 905-468-1881,
www.thewineshops.com
Cette boutique propose les meilleurs
crus des vignobles **Wayne Gretzky
Estates** (voir p. 61), Trius, **Peller Estates** (voir p. 57) et Thirty
Bench.

Shaw Café and Wine Bar.

Cafés et restos

(voir carte p. 53)

Plusieurs glaciers ont élu domicile dans Queen Street, la rue principale de Niagara-on-the-Lake. L'un d'entre eux, **Cows** [47] *($; 44 Queen St., 905-468-2100, https://cows.ca)*, s'affiche même comme étant le meilleur au monde… À vous d'en juger!

Balzac's Coffee Roasters $
[46]
tlj 7h30 à 18h; 223 King St., 289-868-9836, www.balzacs.com

Logé dans une jolie petite maison jaune, Balzac's Coffee Roasters est un café agréable où s'attabler pour prendre sa dose de caféine.

🏷 Nina Gelateria & Pastry Shop $ [50]
tlj 11h à 17h; 37 Queen St., 289-868-8852, www.ninagelateria.com

Pour une pâtisserie accompagnée d'un café, un déjeuner vite fait ou un rafraîchissant *gelato*, ce glacier et pâtissier est l'endroit où aller à Niagara-on-the-Lake.

Niagara's Finest Thai $$-$$$
[49]
tlj dès 11h30; 88 Picton St., 844-333-8421, www.niagarasfinestthai.com

Si l'envie vous prend de vous offrir une cuisine pleine d'épices et de saveurs, dirigez-vous vers le Niagara's Finest Thai, où les plats se révèlent alléchants et bien apprêtés. Service amical.

Shaw Café and Wine Bar $$-$$$ [51]
lun-mer et ven 11h à 17h, jeu et dim 11h à 20h, sam 11h à 18h; 92 Queen St., 905-468-4772, http://shawcafe.ca

Par les belles journées d'été, la rue Queen s'anime d'une foule tranquille

Niagara-on-the-Lake et ses environs - Niagara-on-the-Lake

Treadwell.

qui se laisse tenter par une de ses invitantes terrasses. Parmi celles-ci, sans doute la plus plaisante est-elle celle de ce café, garnie de tables en fer forgé et de parasols. Mais attention, elle est généralement prise d'assaut et le service s'en ressent. À privilégier donc si l'on n'est pas pressé. Au menu: salades, pâtes et plats de poisson et de viande. Bonne sélection de vins au verre.

Masaki Sushi $$$ [48]
tlj 11h30 à 21h30; 60 Picton St., 905-468-1999 ou 888-222-0233, https://masakisushi.ca

Assurément l'un des meilleurs restaurants nippons de la région, Masaki Sushi propose des poissons et fruits de mer d'une fraîcheur irréprochable qu'il importe du Japon. Il faut les goûter à peine grillés au chalumeau (*aburi sushi*), ce qui fait ressortir leur saveur *umami*. Un vrai délice! Service exceptionnel.

The Winery Restaurant at Peller Estates $$$-$$$$ [52]
dim-jeu 12h à 15h et 17h à 20h, ven-sam 12h à 15h et 17h à 21h; Peller Estates, 290 John St. E., 905-468-6519 ou 888-673-5537, www.peller.com

Peller Estates (voir p. 57) renferme cet excellent restaurant. La lumineuse salle à manger offre une magnifique vue sur les vignes et, en été, une terrasse permet de s'en rapprocher encore plus. Le menu propose une exquise cuisine gastronomique qui privilégie les produits ontariens et s'accorde parfaitement aux vins du vignoble. Le chef se targue d'ailleurs de n'utiliser aucun produit provenant de l'extérieur du Canada. Et c'est mission accomplie! Réservations recommandées.

🚶**Treadwell** *$$$-$$$$* [53]
tlj 11h30 à 14h15 et 17h à 21h; 124 on Queen
Hotel & Spa, 114 Queen St., 905-934-9797,
www.treadwellcuisine.com

Pour sa délicieuse et créative cuisine du marché, Treadwell utilise les produits des fermes environnantes, tous d'une fraîcheur et d'un goût irréprochables. Le restaurant gastronomique ne compte qu'une dizaine de tables, donc il vaut mieux réserver. Belle sélection de vins de la région. Une excellente adresse à découvrir, ne serait-ce que pour le repas du midi, moins cher que le dîner.

Backhouse *$$$$* [45]
*lun-jeu 17h à 21h, ven-dim 11h30 à 14h30
et 17h à 21h;* 242 Mary St., 289-272-1242,
http://backhouse.xyz

Reconnu comme l'une des meilleures tables de l'Ontario, le restaurant Backhouse élabore une cuisine nordique exquise. Les plats sont finement exécutés et présentés de façon originale. Pour une expérience mémorable, réservez une place à la table du chef.

Bars et boîtes de nuit

(voir carte p. 53)

Niagara Oast House Brewers [56]
2017 Niagara Stone Rd., 289-868-9627,
https://oasthousebrewers.com

Pour faire changement des nombreux vignobles de la région, faites un arrêt chez Niagara Oast House Brewers, qui brasse plusieurs bières. Vous pourrez en profiter pour faire une dégustation et en apprendre davantage sur leur fabrication.

Silversmith Brewing Company [57]
1523 Niagara Stone Rd., 905-468-8447,
www.silversmithbrewing.com

Logée dans une ancienne église, la Silversmith Brewing Company propose, dans un magnifique décor, de découvrir les quelques bières qu'elle brasse sur place. Des dégustations et des visites des installations sont également organisées.

The Irish Harp Pub [58]
245 King St., 905-468-4443,
http://theirishharppub.com

Pour savourer une bonne Guinness bien fraîche dans une ambiance *Irish*.

Logement *(voir carte p. 53)*

Matisse Bed & Breakfast *$$$* [61]
487 Mississauga St., 905-468-1361,
https://matissebb.ca

Le Matisse bénéficie d'un site plaisant aux limites de la ville, à proximité du lac Ontario et aux abords de la campagne. La belle demeure compte trois chambres, chacune arborant une décoration de style champêtre. Elle comprend une salle à manger garnie d'antiquités, où l'on sert un petit déjeuner, toujours copieux et fait maison. L'établissement dispose aussi d'un beau jardin.

Niagara-on-the-Lake et ses environs - Niagara-on-the-Lake

Prince of Wales.

Globetrotters B&B $$$-$$$$ [60]
642 Simcoe St., 905-468-4021 ou
866-835-4446, www.globetrottersbb.ca

À une quinzaine de minutes à pied au sud du centre-ville de Niagara-on-the-Lake, Donna et Fernando accueillent leur clientèle dans trois agréables chambres au décor coloré. Donna se fera un plaisir de vous aiguiller sur les différents attraits de la région (pensez à lui demander des coupons-rabais pour les vignobles) alors que Fernando vous comblera avec son petit déjeuner hors du commun. Séjour minimal de deux nuitées. Les enfants de 12 ans et plus sont les bienvenus.

ⓛ 124 on Queen Hotel & Spa $$$$$ [59]
124 Queen St., 905-468-4552 ou
855-988-4552, www.124queen.com

Situé au cœur de Niagara-on-the-Lake, le 124 on Queen Hotel & Spa abrite de lumineuses chambres et de spacieux appartements, tous étincelants de propreté. Le personnel est particulièrement efficace et se fera un plaisir de vous aider dans le choix de vos activités. Un spa et l'excellent restaurant Treadwell (voir plus haut) complètent les installations. Stationnement gratuit.

Oban Inn $$$$$ [62]
160 Front St., 905-468-2165 ou
866-359-6226, http://oban.com

Vous serez conquis par le charme anglais, à la fois chaleureux et élégant, de l'Oban Inn. Le bâtiment principal abrite des chambres à la décoration soignée avec lits et matelas confortables. Certaines se prolongent d'un balcon et s'ouvrent sur le jardin luxuriant, au centre duquel se trouve une piscine. Excellent restaurant sur place. Séjour minimal de deux nuitées les fins de semaine de mai à décembre.

Pillar and Post $$$$$ [63]
48 John St. W., 905-468-2123 ou 888-669-5566,
www.vintage-hotels.com/pillarandpost
C'est d'abord le hall qui séduit : une vaste pièce invitante garnie de plantes vertes, d'antiquités et de grands puits de lumière, où l'on resterait des heures. Les chambres comprennent de beaux meubles de bois, des fauteuils où il fait bon se reposer et même un foyer dans certaines d'entre elles. L'hôtel renferme un centre de conditionnement physique, une piscine et un splendide spa, le 100 Fountain Spa.

Prince of Wales $$$$$ [64]
6 Picton St., 905-468-3246 ou 888-669-5566,
www.vintage-hotels.com/princeofwales
Cet établissement parvient à répondre aux besoins des voyageurs les plus exigeants. Outre une situation exceptionnelle, au cœur même de la ville, il propose des chambres élégantes, garnies de belles tentures et de meubles anciens, d'où émane une ambiance de résidence cossue de la fin du XIXe s. Les salles de bain sont pour leur part tout à fait modernes. La piscine mérite un coup d'œil, ne serait-ce que pour contempler la pièce magnifiquement amé-

nagée où elle se trouve. Somptueux restaurant.

Riverbend Inn & Vineyard $$$$$ [65]
16104 Niagara River Pkwy., 905-468-8866 ou 888-955-5553, www.riverbendinn.ca
Splendide maison de style victorien construite en 1820 et entourée de vignes, le Riverbend Inn & Vineyard abrite 21 chambres magnifiquement décorées de meubles d'époque. Chacune comporte également un foyer au gaz, ce qui ajoute au romantisme de l'endroit. L'hôtel renferme un restaurant apprécié pour le repas du soir.

Pour vous rendre à St. Davids au départ du centre de Niagara-on-the-Lake, empruntez la route 55 vers le sud, puis prenez à gauche la route 100 (Four Mile Creek Road). Vous croiserez plusieurs vignobles en chemin.

St. Davids
À voir, à faire
(voir carte p. 53)

Quelques maisonnettes composent l'essentiel de St. Davids, petite bourgade autour de laquelle s'étendent des champs et des vergers.

À partir de Four Mile Creek Road, prenez la route 81 (York Road) à droite.

Niagara-on-the-Lake et ses environs - St. Davids

Château des Charmes.

Ravine Vineyard Estate Winery ★★★ [23]

entrée libre; dim-jeu 11h à 18h, ven-sam 11h à 20h; 1366 York Rd., 905-262-8463, https://ravinevineyard.com

La Ravine Vineyard Estate Winery est l'un de nos vignobles favoris! De loin, déjà la vue de la jolie maison blanche datant du début du XIXe s., érigée au bout du vignoble, est de toute beauté. Il faut d'ailleurs traverser les vignes pour s'y rendre. L'intérieur de la maison respire l'histoire et, en plus de la boutique, un magasin général permet de faire quelques achats de produits locaux. Un bâtiment moderne, adjacent à la maison, loge un excellent restaurant (voir plus loin). Une nouvelle structure qui était en construction lors de notre dernier passage devrait accueillir les groupes dès l'année 2020. Des visites guidées *(20$; sam-dim à 14h30 et 16h30)* sont propo-

sées et permettent de faire le tour du vignoble. Le cabernet sauvignon est particulièrement recommandé. L'un des meilleurs rapports qualité/prix de la péninsule.

Château des Charmes ★★★ [24]

entrée libre; tlj 10h à 18h; 1025 York Rd., 905-262-4219, www.fromtheboscfamily.com

Ce superbe vignoble porte très bien son nom. L'impressionnant bâtiment rappelle justement certains châteaux français. On s'attendrait à y trouver des crus hors de prix, mais il en est tout autrement puisque les vins sont ici très abordables. Il s'agit également de l'un des rares vignobles de la région à cultiver le cépage aligoté. Les visites guidées *(15$; tlj à 13h et 15h, à 12h en français)* se démarquent par la qualité des informations et la gentillesse du personnel.

Achats *(voir carte p. 53)*

Alimentation

Chocolate FX [43]
335 Four Mile Creek Rd., 905-684-2626 ou
866-360-1660, www.chocolatefx.ca
En plus de vous procurer de décadents chocolats produits sur place, vous pourrez observer leur fabrication à travers une baie vitrée.

Cafés et restos

(voir carte p. 53)

The Old Firehall $$-$$$ [55]
tlj dès 11h; 268 Four Mile Creek Rd.,
905-262-5443, www.oldfirehall.com
Situé en pleine campagne, dans le hameau de St. Davids, ce resto offre une bonne variété de mets, mais ce sont surtout les plats de pâtes et de poisson qui retiennent l'attention, car ils sont toujours succulents et apprêtés avec un brin d'originalité.

⊙ Ravine Vineyard Estate Winery Restaurant $$$-$$$$ [54]
tlj 11h à 20h30; Ravine Vineyard Estate Winery, 1366 York Rd., 905-262-8463, https://ravinevineyard.com
Il est très agréable de faire halte à la Ravine Vineyard Estate Winery (voir plus haut), surtout si vous avez envie de déguster une délectable cuisine. Le restaurant propose un menu qui fait la part belle aux viandes. L'assiette de charcuteries maison est une bonne entrée en matière et les cavatellis sont aussi délicieux. Le tout est bien apprêté et un accord avec un vin de la maison est suggéré pour chaque plat. Jolie terrasse. Réservations recommandées.

Reprenez la route 81 (York Road) en sens inverse pour vous rendre à Queenston (6 km).

Queenston
À voir, à faire

(voir carte p. 53)

Joli hameau qui s'est développé le long de la rivière Niagara, **Queenston** ★ comprend quelques maisonnettes et des jardins verdoyants. Il est surtout connu pour être le lieu où vécut Laura Secord.

Queenston Heights Park ★ [26]
entrée libre; 14184 Niagara Pkwy., www.niagaraparks.com
Le Queenston Heights Park est très agréable, que ce soit pour se balader ou faire un pique-nique. Il offre une vue panoramique sur l'escarpement du Niagara, surtout du haut du **Brock's Monument** ★ (4,50$, entrée libre enfants de 5 ans et moins; mai à sept tlj 10h à 17h; 235 marches), dédié au général britannique Isaac Brock, qui mourut en ces lieux durant la guerre anglo-américaine de 1812 alors qu'il menait ses troupes à la victoire. Ce parc comporte également le mémorial **Landscape of Nations** *(www.landscapeofnations.com)*, qui

Laura Secord Homestead.

souligne les contributions des Six Nations de la Confédération iroquoise et de leurs alliés tout au long de la guerre de 1812.

Empruntez la Niagara Parkway à gauche, puis tournez tout de suite à droite dans Queenston Street.

Mackenzie Printery & Newspaper Museum ★ [27]
6,50$; mi-mai à début sept tlj 10h à 17h, début sept à fin oct sam-dim 10h à 17h;
1 Queenston St., 905-262-5676,
https://mackenzieprintery.org

Logé dans la maison restaurée de l'imprimeur William Lyon Mackenzie datant du XIXe s., le Mackenzie Printery & Newspaper Museum relate 500 ans d'histoire dans le domaine de l'imprimerie. On y présente plusieurs objets et artéfacts, dont l'une des dernières presses en bois au monde. William Lyon Mackenzie était le grand-père de l'ancien premier ministre canadien William Lyon Mackenzie King.

Laura Secord Homestead [25]
9,75$; mi-mai à fin août tlj 10h à 17h, sept et oct tlj 10h à 16h; 29 Queenston St.,
905-262-4851, www.niagaraparks.com

Laura Secord, cette héroïne canadienne, devint célèbre durant la guerre de 1812, lorsque, mise au courant d'une attaque imminente des Américains, elle fit quelque 32 km à pied, de Queenston à Thorold, le 22 juin 1813, pour avertir l'armée britannique, qui parvint alors à repousser les troupes ennemies. Aujourd'hui, on associe surtout son nom à une marque de chocolat. On peut visiter la maison qu'elle habita de 1803 à 1835.

Activités *(voir carte p. 53)*

Randonnée pédestre

Bruce Trail [30]
entrée libre; https://brucetrail.org
C'est à Queenston que se trouve l'extrémité sud du plus ancien et du plus long sentier pédestre continu du Canada. Le Bruce Trail s'étire de là sur plus de 900 km jusqu'à Tobermory, aux abords de la baie Georgienne.

Achats *(voir carte p. 53)*

Vins

The Ice House Winery [44]
tlj 10h à 19h; 14778 Niagara Pkwy., 905-262-6852, https://theicehousewinery.com
Par une chaude journée d'été, faites un arrêt à ce vignoble pour vous procurer une rafraîchissante Icewine Slushie (barbotine de vin de glace). La version préparée avec un vin de glace à base de cépage vidal est particulièrement recommandée!

Logement *(voir carte p. 53)*

⚜ Everheart Country Manor $$$-$$$$ [66]
137 Queenston St., 905-262-5444 ou 866-284-0544, www.everheart.ca
Magnifique maison centenaire, l'Everheart Country Manor propose de splendides chambres à la décoration soignée et à l'atmosphère romantique, qui comptent toutes un bain à remous et un foyer. À l'extérieur, le balcon et la terrasse deviennent de véritables havres de

Bruce Trail.

paix pendant la belle saison. Piscine intérieure. Petit déjeuner offert. Séjour minimal de deux nuitées.

⚜ The Red Coat $$$$ [67]
5 Front St., 905-262-1015, www.theredcoat.ca
Autre belle adresse de Queenston, The Red Coat est une vraie petite merveille. Maison du début du XXe s., l'auberge est située sur les terres où se déroulèrent certains combats de la guerre de 1812. Son nom fait d'ailleurs référence à l'uniforme porté par l'armée britannique. La maison reflète le charme de l'époque avec son mobilier ancien. On y propose trois chambres à la décoration soignée, dont deux disposent d'un balcon privé. Petit déjeuner offert délicieux. Accueil chaleureux. Séjour minimal de deux nuitées les fins de semaine de mai à octobre.

3 ↘

St. Catharines

St. Catharines

C'est avec la construction du canal Welland, dans les années 1820, que **St. Catharines** ★ a connu son essor. Aujourd'hui la plus importante communauté de la vallée du Niagara, elle est surnommée la «Garden City» en raison de son nombre élevé de parcs et de jardins. Un peu partout à travers la ville, on peut en effet observer des espaces verts bien aménagés, certains avec des sentiers accessibles aux marcheurs, joggeurs et cyclistes. Malheureusement, le reste de la ville est plutôt sans intérêt, si ce n'est le centre-ville, qui compte quelques bâtiments historiques.

À voir, à faire

(voir carte p. 77)

Canal Welland [1]

La construction du canal Welland apparaît essentielle au lendemain de la guerre de 1812, alors que les autorités décident de désenclaver le Haut-Canada. Outre des impéra-tifs stratégiques, sa construction répond à des considérations économiques, car il aurait l'avantage de permettre aux navires de rejoindre les lacs Ontario et Érié, une liaison qui, jusque-là, est impossible en raison d'un obstacle naturel de taille, soit l'infranchissable escarpement du Niagara, dont la dénivellation est de 99,5 m. Les travaux du canal s'amorcent en 1824 et les bateaux peuvent l'emprunter dès 1829. Au fil des ans, il apparaît toutefois que ce premier canal s'avère insuffisant pour la navigation; la construction de nouveaux canaux est alors envisagée. Au total, quatre canaux seront creusés, dont l'actuel canal, construit entre 1913 et 1932.

St. Catharines Museum & Welland Canals Centre ★★ [2]

don suggéré de 4$; tlj 9h à 17h; 1932 Welland Canals Pkwy., 6 km à l'est du centre-ville par la route 81, 905-984-8880 ou 800-305-5134, www.stcatharines.ca/en/St-Catharines-Museum.asp

Port Dalhousie.

St. Catharines

Long de 42 km et comportant huit écluses, le canal Welland permet aux bateaux de se rendre de St. Catharines à Port Colborne, soit du lac Ontario au lac Érié. Tout au long du canal, des sites d'observation ont été aménagés. Parmi les sites les plus captivants pour observer le canal, figure le St. Catharines Museum, qui comprend une vaste terrasse d'observation permettant aux visiteurs de se placer devant l'écluse et de regarder passer les bateaux. Le musée présente un documentaire d'une dizaine de minutes sur l'histoire du canal et renferme différents objets relatifs à sa construction, qui sont aussi un prétexte pour en apprendre plus sur l'histoire locale. Fait étrange, le musée abrite également l'**Ontario Lacrosse Hall of Fame & Museum** (*https:// ontariolacrossehalloffame.com*), qui met en exergue les meilleurs joueurs de crosse ontariens.

Port Dalhousie ★
6 km au nord du centre-ville par la route 87

Le quartier historique de Port Dalhousie est très agréable à visiter à pied. S'y trouvent le **Rennie Park** [3], où l'on peut souvent voir des équipes d'aviron sur le Martindale Pond, et le **Lakeside Park** ★ [4], qui compte une plage où il fait bon faire trempette lors des chaudes journées d'été. C'est aussi un bon endroit pour voir de superbes couchers de soleil. Une promenade au bord de l'eau, deux phares, un carrousel, une marina ainsi que des boutiques et des restaurants complètent les attraits de Port Dalhousie.

St. Catharines

À voir, à faire ★

1. CW Canal Welland
2. CY St. Catharines Museum
   & Welland Canals Centre/Ontario
   Lacrosse Hall of Fame & Museum
3. BW Rennie Park

4. BW Lakeside Park
5. AZ Short Hills Provincial Park
6. AZ Hernder Estate Wines
7. AZ Henry of Pelham Family Estate

Activités ☀

8. CZ CanalCityCycle
9. CV Sunset Beach

10. BW Waterfront Trail
11. CX Welland Canals Parkway Trail

Achats ■

12. BV Beechwood Doughnuts
13. AY Harvest Barn Country Market
14. CY Honeys

15. BV St. Catharines Farmers Market
16. CY The Pen Centre

Cafés et restos ●

17. CX Chang Noi's
    Authentic Thai Cuisine
18. BV Rise Above Restaurant

19. CX Sunrise Cafe
20. BW The Yellow Pear
21. BV Wellington Court

Bars et boîtes de nuit ☾

22. BV The Merchant Ale House

Logement ▲

23. BX Cedar Suite Bed & Breakfast
24. BZ Four Points by Sheraton
    St. Catharines Niagara Suites

25. BX Holiday Inn & Suites Parkway
    Conference Centre

St. Catharines

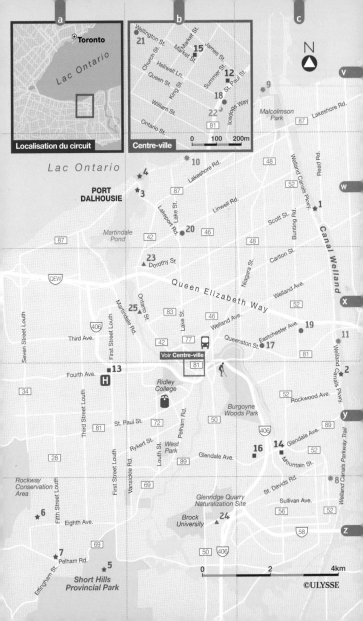

a

Toronto

Lac Ontario

Localisation du circuit

b

Wellington St.
21
Market St.
15
James St.
Church St.
Heliwell Ln.
Summer St.
12
Queen St.
St. Paul St.
King
18
William St.
22
Iceboat Way
Ontario St.
81

0   100   200m

Centre-ville

c

N

v

9
Malcolmson Park
87   Lakeshore Rd.

Lac Ontario

10
Lakeshore Rd.   48
4
87
3   Lake St.
Linwell Rd.
PORT DALHOUSIE
Lakeport Rd.
20   46
42
Martindale Pond
48
Scott St.
Carlton St.
Welland Canals Pkwy.
Read Rd.
Bunting Rd.
Niagara St.
52
1

w

Canal Welland

23   Dorothy St.

QEW

Queen Elizabeth Way

Welland Ave.
52

x

25   Ontario St.
83
46
Lake St.
77
Welland Ave.
Eastchester Ave.
19
Third Ave.
42
Queenston St.   17
11
406
First Street Louth
Martindale Rd.
Seven Street Louth
Voir Centre-ville
81
2
Welland Canals Pkwy.

y

Fourth Ave.   H   13
Ridley College
52
Rockwood Ave.
34
Third Street Louth
St. Paul St.   72
Pelham Rd.
50
Burgoyne Woods Park
406
Glendale Ave.
89
28
Rykert St.
West Park
89
16   14
52
Mountain St.
Rockway Conservation Area
First Street Louth
Vansickle Rd.
Louth St.
69
Glendale Ave.
St. Davids Rd.
8
Fifth Street Louth
Glenridge Quarry Naturalization Site
Sullivan Ave.
Welland Canals Parkway Trail

z

6
Eighth Ave.
Brock University
24
56
52
7   Pelham Rd.
Effingham St.
5
69
50   406
58
Short Hills Provincial Park

0   2   4km

©ULYSSE

St. Catharines

Henry of Pelham Family Estate.

Short Hills Provincial Park [5]

entrée libre; toute l'année; 8 km au sud-ouest du centre-ville par la route 81 puis Pelham Rd., 905-774-6642, www.ontarioparks.com/park/shorthills, www.friendsofshorthillspark.ca

Avec une superficie d'à peine 7 km², le Short Hills Provincial Park est tout de même le plus grand parc de la péninsule du Niagara. Plusieurs sentiers de randonnée permettent d'observer la faune et la flore de la région. Pêche, équitation et vélo de montagne peuvent également être pratiqués sur place.

Hernder Estate Wines ★★★ [6]

entrée libre; lun-ven 9h à 17h, sam-dim 10h à 17h; 1607 Eighth Ave., 9 km au sud-ouest du centre-ville par les routes 81 puis 28, 905-684-3300, www.hernder.com

Dès votre arrivée, vous serez ébloui par la beauté de ce vignoble. Après avoir traversé un joli pont couvert, vous apercevrez une fontaine et pourrez admirer le magnifique bâtiment qui s'élève devant vous. Logée dans une ancienne grange ornée de superbes vitraux, la boutique propose à la clientèle de découvrir les différents crus de la maison. Des visites guidées sont organisées sur réservation.

Henry of Pelham Family Estate ★ [7]

entrée libre; tlj 10h à 17h; 1469 Pelham Rd., 9 km au sud-ouest du centre-ville par les routes 81 puis 28, 905-684-8423, https://henryofpelham.com

Les vins du Henry of Pelham Family Estate reçoivent régulièrement d'excellentes notes dans les différents classements de l'industrie du vin. Profitez de votre visite pour découvrir le baco noir, un cépage plutôt rare produisant des vins riches en alcool et un peu amers, mais qui s'améliorent en vieillissant. Sur le vignoble se trouve un cimetière où est enterrée la famille Smith, qui habitait ce lot de terre au XVIIIe s. La dégustation coûte 10$ pour quatre vins (remboursable à l'achat de deux bouteilles ou plus). Une visite guidée *(15$; mi-mai à fin oct, tlj à 13h30)* permet d'en apprendre plus sur l'histoire du vignoble, de se promener parmi les vignes et de déguster quelques vins.

Activités *(voir carte p. 77)*

Baignade

Sunset Beach [9]
Lombardy Ave.
Située à l'est du secteur de Port Dalhousie, Sunset Beach offre 365 m de plage de sable fin.

Pêche

Niagara Fishing Adventures
905-708-8654 ou 800-332-6865,
www.niagarafishingadventures.com
Depuis Port Dalhousie, il est possible de partir en excursion de pêche avec Niagara Fishing Adventures. D'avril à octobre, les sorties se font sur le lac Ontario; le reste de l'année, elles ont lieu sur la rivière Niagara.

Vélo

S'étirant sur un peu plus de 140 km, la **Greater Niagara Circle Route** *(www.niagararegion.ca/government/initiatives/gncr/default.aspx)* regroupe plusieurs pistes cyclables qui permettent de faire le tour de la péninsule du Niagara. À partir de St. Catharines, on peut emprunter

le **Waterfront Trail** [10] et le **Welland Canals Parkway Trail** [11] (voir p. 101) qui en font partie.

CanalCityCycle [8]
50 Front St., 905-964-8056,
http://canalcitycycle.com
Location et réparation de vélos.

Achats *(voir carte p. 77)*

Alimentation

Beechwood Doughnuts [12]
165 St. Paul St., 905-682-6887,
www.beechwooddoughnuts.com
Cette pâtisserie est la première de la région à proposer des beignets 100% végétaliens, et ils s'avèrent excellents! Pensez à apporter un contenant (propre et réutilisable) si vous en achetez plusieurs, car on vous accordera un rabais de 10%.

Harvest Barn Country Market [13]
1179 Fourth Ave., 905-641-1666,
www.harvestbarn.ca
Ne manquez pas le Harvest Barn Country Market, où vous pourrez faire le plein de fruits et légumes, de même que vous procurer de délicieuses tartes.

Centres commerciaux

The Pen Centre [16]
221 Glendale Ave., 905-687-6622,
www.thepencentre.com
Avec près de 200 boutiques et restaurants, le Pen Centre est le plus grand centre commercial de la péninsule du Niagara.

St. Catharines

St. Catharines Farmers Market.

St. Catharines

Marchés

St. Catharines Farmers Market [15]
mar, jeu et sam 6h à 14h; Market Square, 91 King St.

Pour bien profiter de ce marché public intérieur, rendez-vous-y tôt le samedi matin lorsqu'il accueille un grand nombre de producteurs des environs.

Vêtements

Honeys [14]
344 Glendale Ave., 905-685-6116, www.honeysfashions.ca

Honeys vend des vêtements pour hommes et femmes.

Cafés et restos
(voir carte p. 77)

Sunrise Cafe $ [19]
lun-ven 6h à 14h, sam 7h à 15h, dim 8h à 15h; 136 Bunting Rd., 905-685-1100

Ce casse-croûte familial, populaire auprès des gens du coin, sert des petits déjeuners dans un décor sans flafla.

Chang Noi's Authentic Thai Cuisine $-$$ [17]
lun-ven 11h30 à 15h et 16h à 22h, sam 16h à 21h30; 225 Queenston St., 905-228-6067, www.changnoi.ca

Si vous avez envie de vous offrir un *pad thai*, une salade de papaye ou une soupe *tom yam*, le menu du Chang Noi's Thai Cuisine saura vous satisfaire. Les mets sont plus ou moins épicés, à votre demande.

The Yellow Pear $-$$ [20]
ven-lun 9h à 14h; 526 Lake St., www.farmtotruck.com

Pour un petit déjeuner hors du commun, rendez-vous au Yellow Pear, où gaufres, œufs bénédictine et tartines vous attendent. Tous sont apprêtés de façon créative et la plupart de leurs ingrédients proviennent des fermes environnantes. Plus cher qu'un petit déjeuner classique, mais vous serez pleinement satisfait. Réservations recommandées.

Rise Above Restaurant $$ [18]
120 St. Paul St., 289-362-2636, www.riseaboverestaurant.com

Le menu du Rise Above Restaurant, entièrement végétalien, propose des sandwichs et salades, en plus d'afficher des plats plus consistants tels qu'un macaroni au fromage végétalien, un pâté aux lentilles et des pâtes. Tout est frais et savoureux. Plusieurs options sans gluten.

⊚**Wellington Court** *$$$-$$$$* [21]

mar-sam 11h30 à 21h30; 11 Wellington St.,
905-682-5518, www.wellington-court.com

Le menu du Wellington Court peut paraître restreint, mais comme on a décidé ici de privilégier la qualité, les clients ne s'en plaignent pas. Les mets sont fins, divinement présentés, et varient selon les saisons. Le menu du midi permet de découvrir à moindre coût la cuisine du marché de ce restaurant. Belle sélection de vins locaux.

Bars et boîtes de nuit

(voir carte p. 77)

The Merchant Ale House [22]
98 St. Paul St., 905-984-4060,
http://merchantalehouse.com

Cet agréable pub brasse ses propres bières. Son menu affiche hamburgers, *fish and chips* et autres classiques des établissements du genre.

Logement *(voir carte p. 77)*

⊚**Cedar Suite Bed & Breakfast** *$$$* [23]
11 Dorothy St., 905-935-0436,
https://cedarsuitebb.com

Le Cedar Suite est un gîte plutôt intime. Avec seulement une suite pouvant accueillir jusqu'à six personnes et une chambre, les hôtes s'assurent d'offrir le meilleur accueil à leur clientèle. Le petit déjeuner, très bon, est servi dans une annexe toute vitrée, offrant à la vue les splendides jardins entourant la maison. L'une des adresses les plus sympathiques de St. Catharines.

Holiday Inn & Suites Parkway Conference Centre *$$$* [25]
327 Ontario St., 905-688-2324 ou
877-688-2324, http://niagaraholidayinn.ca

Surtout fréquenté par les congressistes, très nombreux à St. Catharines, cet hôtel offre tous les services et installations : salles de réunion, Internet gratuit, centre de remise en forme, piscine intérieure, restaurant et même une salle de quilles adjacente! Les chambres sont confortables; pensez à en demander une loin des ascenseurs, qui sont plutôt bruyants. Stationnement payant.

Four Points by Sheraton St. Catharines Niagara Suites *$$$$$* [24]
3530 Schmon Pkwy., 905-984-8484 ou
888-627-8537,
www.fourpointsstcatharines.com

Aux limites sud de la ville, non loin de la Brock University, se dressent les bâtiments du Four Points by Sheraton. L'hôtel n'a pas le charme des auberges d'époque, mais il est apprécié pour les longs séjours. Les chambres, spacieuses et fonctionnelles, sont en fait des appartements tout confort comprenant un grand salon, un espace « cuisine-dînette » et une chambre à coucher. Restaurant sur place.

St. Catharines

La région de Twenty Valley - Jordan

4

La région de Twenty Valley

La fort jolie région viticole de **Twenty Valley** ★★ s'étend de Grimsby à **St. Catharines** (voir p. 74) et compte près d'une trentaine de vignobles, dont plusieurs sont ouverts au public et proposent des dégustations de leurs produits. Encaissée entre le lac Ontario et l'escarpement du Niagara, elle bénéficie d'un microclimat propice à la culture de la vigne.

Pour vous rendre de St. Catharines à Jordan, empruntez la route 77 vers l'ouest.

Jordan

À voir, à faire
(voir carte p. 85)

La région de Twenty Valley concentre plusieurs charmants hameaux que l'on traverse en suivant la Route des vins. Le premier arrêt de ce circuit est **Jordan** ★, qui dispose d'un centre-ville agréable appelé **Jordan Village** ★★, où se succèdent boutiques, galeries d'art et restaurants. Son charme tient entre autres à ses quelques bâtiments anciens, qui rappellent que l'histoire de la ville remonte à la fin du XVIIIe s., lorsque des loyalistes et des mennonites sont venus s'y établir.

La Grande Hermine ★ [1]
Jordan Harbour

Si vous arrivez de l'ouest par la Queen Elizabeth Way (QEW), vous ne pourrez manquer d'apercevoir, dans le Jordan Harbour, un navire échoué qui évoque un bateau pirate. Il s'agit de *La Grande Hermine*, un ancien traversier sur le Saint-Laurent devenu restaurant flottant à Montréal entre 1985 et 1992 en tant que réplique du célèbre navire de Jacques Cartier.

La Grande Hermine.

Abandonnée dans le port de Jordan à la fin des années 1990, l'épave fait désormais partie du paysage et est le sujet de nombreuses photos. Pour vous en approcher, prenez la sortie de Victoria Avenue à Vineland.

13th Street Winery ★ [2]
entrée libre; juin à oct lun-sam 10h à 18h, nov à mai lun-sam 10h à 17h; 1776 Fourth Ave., 4 km à l'est du centre-ville par la route 77, 905-984-8463, https://13thstreetwinery.com
Petit producteur, la 13th Street Winery est renommée pour son vin pétillant. Sa boutique est superbe, avec plusieurs œuvres d'art, et son personnel est passionné. Profitez de votre passage pour aller voir l'extérieur de la boutique où sont exposées plusieurs sculptures. Ne manquez pas la pâtisserie et ses décadentes tartelettes au beurre. Une visite guidée *(15$; juil et août ven-sam à 14h; durée 45 min)* est proposée en période estivale. La dégustation coûte 8$ pour quatre vins (remboursable à l'achat de deux bouteilles ou plus). Possibilité de loger sur place (voir plus loin).

_____

Empruntez Main Street puis Nineteenth Street vers le sud et prenez à gauche Seventh Avenue.

Flat Rock Cellars ★ [3]
entrée libre; mai à oct dim-ven 10h à 18h, sam 10h à 19h, nov à avr dim-ven 10h à 17h, sam 10h à 18h; 2727 Seventh Ave., 905-562-8994, https://flatrockcellars.com
Le bâtiment surélevé de forme hexagonale qui abrite la boutique de ce vignoble offre une magnifique vue sur les vignes. Spécialisé dans le pinot noir, le chardonnay et le riesling, Flat Rock Cellars fabrique de très bons vins. Des visites guidées *(10$; sur réservation)* permettent de visiter le vignoble et, fait plutôt rare, la salle de production.

La région de Twenty Valley

À voir, à faire ⭐

Jordan
1. DX *La Grande Hermine*
2. EY 13th Street Winery
3. DY Flat Rock Cellars
4. DY Ball's Falls Conservation Area
5. DZ Domaine Queylus

Vineland
6. DY Kacaba Vineyards & Winery
7. DY Megalomaniac
8. DY Tawse Winery

9. DY Stoney Ridge Estate Winery

Beamsville
10. CX Hidden Bench Estate Winery

Grimsby
11. BX Grimsby Beach
12. BX Temple Lane
13. BX Auditorium Circle
14. AX Beamer Memorial
    Conservation Area

Achats ■

Jordan
15. BZ Cave Spring Wine Shop
16. BZ Heritage Gift Shop
17. BZ Jordan Art Gallery

18. EX Upper Canada Cheese Company

Grimsby
19. BX Monk's Chocolate

Cafés et restos ●

Jordan
20. BZ Inn On the Twenty Restaurant
21. EX The Restaurant
    at Pearl Morissette

Vineland
22. DX De la Terre Bakery
23. DX Lake House Restaurant

Beamsville
24. CX August Restaurant
25. CX Beamsville Fish and Chips
26. CX The Good Earth Food
    and Wine Co.

Grimsby
27. BX 270 Bench Kitchen
28. BX Indian Hut Restaurant

Logement ▲

Jordan
29. BZ Inn On the Twenty
30. EY The Vineyard Cottage
    at 13th Street Winery

Beamsville
31. CX The House by the Side
    of the Road

Grimsby
32. BX Crown Ridge Bed & Breakfast

La région de Twenty Valley

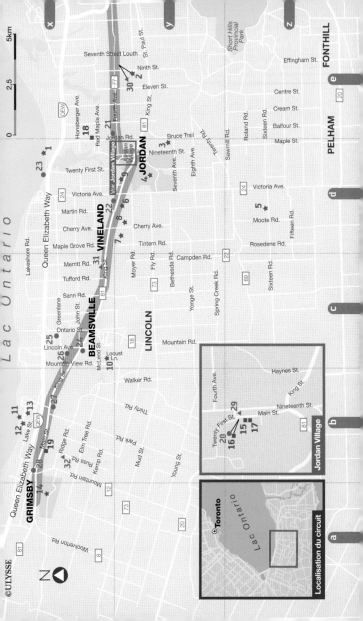

Ball's Falls Conservation Area.

Reprenez Seventh Avenue en sens inverse jusqu'à Twenty-First Street, que vous prendrez à droite. Prenez ensuite à gauche Glen Road pour vous rendre à l'entrée de la Ball's Falls Conservation Area.

Ball's Falls Conservation Area ★★ [4]

mai à oct 8$, nov à avr 5$; mai à oct tlj 8h à 20h, nov à avr tlj 8h à 16h; 3292 Sixth Ave., 905-562-5235, https://npca.ca/parks/balls-falls

La Ball's Falls Conservation Area est un lieu agréable pour faire une randonnée. Plusieurs sentiers sillonnent le parc, mais le plus populaire est le **Cataract Trail**, qui se rend aux Upper Falls. Ce sentier en boucle d'environ 1,7 km prend moins d'une heure à parcourir. Un centre d'accueil des visiteurs *(mai à oct tlj 9h à 16h, nov à avr lun-ven 9h à 16h)* présente des expositions en rapport avec la nature. Le parc protège également quelques bâtiments historiques qui datent du début du XIXe s. et que vous pourrez visiter.

Domaine Queylus ★★ [5]

entrée libre; mai à sept tlj 11h à 18h, oct à avr jeu-dim 11h à 17h; 3651 Sixteen Rd., 905-562-7474, www.queylus.shop

Ce vignoble tenu par des Québécois profite du talent des réputés maîtres de chais Thomas Bachelder (du regretté vignoble Clos Jordanne, qui était en passe de renaître de ses cendres au moment de mettre sous presse) et Kelly Mason. On peut y déguster d'excellents chardonnays, merlots, cabernets francs et pinots noirs. Le bâtiment qui accueille les visiteurs regroupe deux maisons, l'une de bois rond et l'autre en pierre des champs. Un lieu splendide à découvrir!

trentaine de saveurs de fudge afin d'amasser des fonds pour le Jordan Historical Museum, qui était en reconstruction au moment de mettre sous presse.

Upper Canada Cheese Company [18]
4159 Jordan Rd., 905-562-9730, http://uppercanadacheese.com

L'Upper Canada Cheese Company fabrique quelques fromages dont un de type camembert, le Comfort Cream. Vous pouvez vous procurer les produits dans la boutique adjacente à la salle de production.

Activités *(voir carte p. 85)*

Observation de la faune et de la flore

Niagara Nature Tours
à partir de 95$; 905-562-3746 ou 888-889-8296, www.niagaranaturetours.ca

Carla Carlson, naturaliste et environnementaliste aguerrie, organise des visites guidées à la découverte de la flore et la faune de la région de Niagara.

Achats *(voir carte p. 85)*

Alimentation

Heritage Gift Shop [16]
3836 Main St., 905-562-4849, www.heritagegiftshop.org

Tenue par des bénévoles, l'Heritage Gift Shop propose, outre des vêtements et des accessoires, plus d'une

Galeries d'art

Jordan Art Gallery [17]
3836 Main St., 905-562-6680, www.jordanartgallery.com

Huit artistes de la région se sont regroupés afin d'ouvrir la Jordan Art Gallery. On peut y admirer leurs œuvres contemporaines.

Vins

Cave Spring Wine Shop [15]
juil et août lun-ven 10h à 18h, sam 10h à 19h, juin et sept lun-ven 10h à 18h, oct à mai dim-jeu 10h à 17h, ven-sam 10h à 18h; 3836 Main St., 905-562-3581 ou 888-806-9910, http://cavespring.ca

On peut se procurer les vins de Cave Spring Cellars à la boutique située au centre-ville de Jordan. D'un prix très abordable, ils offrent un excellent rapport qualité/prix. Mention honorable au riesling.

La région de Twenty Valley - Jordan

La région de Twenty Valley - Jordan

The Restaurant at Pearl Morissette.

Cafés et restos
(voir carte p. 85)

⬤ **Inn On the Twenty Restaurant** *$$$-$$$$* [20]
tlj dès 8h, dernier service à 20h30;
3836 Main St., 905-562-7313,
https://innonthetwenty.com

L'Inn On the Twenty (voir plus loin) renferme sans contredit le meilleur restaurant de Jordan, et certainement l'un des meilleurs de la région. Le menu affiche une cuisine créative influencée par l'Hexagone. Les mets sont merveilleusement présentés et très bien exécutés. Si vous désirez goûter aux délices de l'établissement, sachez que le menu du midi est plus abordable. Belle carte des vins avec plusieurs crus des environs. Réservations recommandées.

⬤ **The Restaurant at Pearl Morissette** *$$$$* [21]
jeu-ven 18h à 21h30, sam-dim 12h à 14h et 18h à 21h30; 3953 Jordan Rd., 905-562-7709,
https://pearlmorissette.com

Nommé meilleur nouveau restaurant au Canada en 2018 par le magazine *enRoute*, le Restaurant at Pearl Morissette a rapidement fait sa marque dans le paysage culinaire de la péninsule. Le menu dégustation se décline en plusieurs petits plats aussi exquis que finement présentés qui mettent en valeur les produits de la région. Tout ici est judicieusement choisi pour refléter la philosophie des propriétaires, dont le Québécois François Morissette. Tout aussi exceptionnelle, la carte des vins propose, en plus des vins du vignoble de la maison, quelques crus de producteurs qui partagent le même souci du détail. Réservations requises (plusieurs mois à l'avance si vous voulez vous assurer d'une place). Notez que le pourboire est inclus dans l'addition.

Logement (voir carte p. 85)

The Vineyard Cottage at 13th Street Winery $$$$-$$$$$ [30]
1776 Fouth Ave., https://13thstreetwinery.com
Pour qui voudrait loger dans un vignoble, le Vineyard Cottage at 13th Street Winery est certainement à considérer. Cette ancienne grange entièrement rénovée et tout équipée présente un splendide décor moderne. Située à la 13th Street Winery (voir plus haut), elle se révèle très confortable et peut loger jusqu'à huit personnes. Il est possible de louer le studio ou l'appartement de deux chambres séparément. Séjour minimal de deux nuitées.

Inn On the Twenty $$$$$ [29]
3845 Main St., 905-562-5336 ou 800-701-8074, https://innonthetwenty.com
Vous ne manquerez pas de remarquer le splendide Inn On the Twenty, niché au cœur du Jordan Village. L'auberge abrite de magnifiques suites qui incitent à la paresse et à la relaxation. Une petite maison, la Vintage House, est aussi offerte en location, pour plus d'intimité. Des forfaits comprenant le repas du soir ou un massage sont proposés. Excellent restaurant sur place (voir plus haut). Service impeccable.

Séjour minimal de deux nuitées les fins de semaine.

_____

Pour vous rendre de Jordan à Vineland, empruntez la route 81 vers l'ouest. Les villes couvertes par ce circuit sont d'ailleurs toutes reliées entre elles par cette route.

Vineland
À voir, à faire
(voir carte p. 85)

Dans la péninsule du Niagara, les vergers et les vignobles constituent souvent l'essentiel des paysages ruraux. Ceux-ci cèdent la place, par endroits, à de coquets hameaux comme Vineland, qui ne compte guère plus qu'une poignée de maisons et des fermes. Dans ce village, on remarque avant tout la présence de fruiteries, dont les étals remplis de fruits bien mûrs sont une délicieuse tentation. Par une belle journée, certains voudront plutôt s'arrêter à l'une ou l'autre des fermes qui proposent l'autocueillette de fruits, notamment des cerises, des prunes et des pêches.

Kacaba Vineyards & Winery ★ [6]
entrée libre; tlj 10h à 18h; 3550 King St., 905-562-5625 ou 866-522-2228, https://kacaba.com
Ce vignoble fut l'un des premiers en Ontario à planter du syrah à la fin des années 1990. Vingt ans

La région de Twenty Valley - Vineland

La région de Twenty Valley - Vineland

Megalomaniac.

plus tard, les vins que la Kacaba Vineyards & Winery fabrique avec ce cépage sont régulièrement primés, tant à l'échelle nationale qu'internationale.

Megalomaniac ★★★ [7]

entrée libre; tlj 11h à 17h; 3930 Cherry Ave., 905-562-5155, http://megalomaniacwine.com
Situé sur les hauteurs de la région de Twenty Valley, le vignoble Megalomaniac offre une vue spectaculaire sur les environs. Un double grillage et une énorme porte massive accueillent les visiteurs à l'entrée. À l'intérieur, la salle de dégustation *(10$ pour 4 vins, remboursable à l'achat de 40$ ou plus)*, avec ses airs de caverne, est de toute beauté. De nombreux barils confèrent une touche rustique au décor alors que de jolis luminaires diffusent une douce lumière. Pourquoi le nom de «Megalomaniac»? Le propriétaire,

John Howard, voulait donner son nom au vignoble, ce qui faisait bien rigoler ses amis qui le qualifiaient de mégalomaniaque. Il les a pris au mot! Les vins reflètent ce sens de l'autodérision avec des noms tels que Narcissist Riesling, Coldhearted Riesling Icewine, My Way Chardonnay et Selfie.

Tawse Winery ★ [8]

entrée libre; mai à oct tlj 10h à 18h, nov à avr lun-ven 10h à 17h, sam-dim 10h à 18h; 3955 Cherry Ave., 905-562-9500, www.tawsewinery.ca
La Tawse Winery produit des crus régulièrement primés. Les blancs sont particulièrement réussis. Vous paierez cependant plus cher ici qu'ailleurs. La dégustation coûte 8$ pour quatre vins (remboursable à l'achat de deux bouteilles ou plus). Visites guidées *(15$)* sur réservation.

Qu'est-ce que le vin de glace?

C'est le gel qui permet l'élaboration du vin de glace (*ice wine*). L'automne venu, le raisin est laissé sur le cep jusqu'à la première gelée pour qu'il soit attaqué par le *Botrytis cinerea*, un champignon microscopique qui se développe sur la peau du raisin. Pour se nourrir, ce champignon absorbe une bonne partie de l'acidité, de l'eau et un peu du sucre du raisin, permettant ainsi une concentration du sucre dans la pulpe. Ce phénomène est appelé «pourriture noble» et permet l'élaboration d'un vin liquoreux. Les raisins gelés sont cueillis et immédiatement pressurés, de sorte que l'eau remonte à la surface sous forme de glace et qu'au fond de la cuve se dépose un jus concentré qui sera par la suite fermenté.

Plusieurs vignobles produisent des vins de glace dans la région.

Voici nos préférés:

- **Henry of Pelham Estate** (voir p. 78)
- **Inniskillin Wines** (voir p. 59)
- **Reif Estate Winery** (voir p. 59)
- **Stratus Vineyards** (voir p. 60)
- **Southbrook Vineyards** (voir p. 61)

Stoney Ridge Estate Winery
[9]
3201 King St., 905 562 1324,
www.stoneyridge.com
La Stoney Ridge Estate Winery est l'endroit idéal pour faire une dégustation de vins et fromages *(10$)* puisqu'on y propose plusieurs fromages d'exception provenant de l'Ontario, du Québec et d'ailleurs. La mignonne terrasse constitue le cadre parfait pour une dégustation *(1$/vin, 5$/vin de glace)*.

La région de Twenty Valley - Beamsville

VQA

Vous remarquerez certainement que la plupart des bouteilles provenant de l'Ontario affichent la mention VQA (un acronyme qui signifie *Vintners Quality Alliance*), décernée par l'Ontario's Wine Appellation Authority. Cet organisme s'assure notamment que les vins qui reçoivent cette certification sont élaborés uniquement à base de raisins provenant de l'Ontario et qu'aucune eau n'a été ajoutée dans leur fabrication. En Ontario, plus de 160 vignobles produisent des vins certifiés.

Cafés et restos

(voir carte p. 85)

De la Terre Bakery $ [22]
3451 King St., 905-562-1513,
www.delaterre.ca
Cette boulangerie-pâtisserie vend du bon pain frais ainsi que de délicieuses pâtisseries. Il vaut mieux s'y rendre dès l'ouverture, car tout part très vite.

Lake House Restaurant
$$-$$$ [23]
lun-sam 11h30 à 22h, dim 10h30 à 22h;
3100 N. Service Rd., 905-562-6777,
https://lakehouserestaurant.com
Le Lake House Restaurant, qui se dresse en bordure du lac Ontario, profite d'une vue exceptionnelle sur les flots. Sa terrasse est d'ailleurs prise d'assaut lors des belles journées d'été. Le menu propose des pizzas à croûte mince et des salades, ainsi que plusieurs plats à base de viande, de poisson et de fruits de mer. Le tout est bien apprêté. Service efficace. Réservations recommandées.

Beamsville

À voir, à faire

(voir carte p. 85)

Située dans le prolongement de Vineland, Beamsville compte un centre-ville qui, avec ses quelques bâtiments historiques, semble sorti d'une autre époque. La ville n'a pas de charme particulier, mais on trouve plusieurs vignobles tout autour.

Hidden Bench Estate Winery ★★ [10]
entrée libre; tlj 10h à 17h; 4152 Locust Lane, 2 km au sud-ouest de la ville par Lincoln Ave., 905-563-8700, https://hiddenbench.com

Hidden Bench Estate Winery.

Ce petit producteur est considéré, année après année, comme l'un des meilleurs vignobles au Canada. Ses vins, tous biologiques, sont en effet de qualité supérieure. La dégustation coûte 10$ pour quatre vins (remboursable à l'achat de trois bouteilles ou plus).

Cafés et restos

(voir carte p. 85)

Beamsville Fish and Chips
$-$$ [25]
lun-ven 11h à 20h, sam 12h à 20h, dim 16h à 20h; 5001 Greenlane Rd., 905-563-0344, www.beamsvillefish.com

En plus de proposer les traditionnels *fish and chips* et autres fritures, le menu de ce restaurant affiche du flétan poché. La perche *(jeu-sam)* et le doré *(mai à sept)* sont également très appréciés.

August Restaurant
$$-$$$ [24]
mar-jeu 11h à 20h, ven-sam 11h à 21h, dim 9h à 15h; 5204 King St., 905-563-0200, www.augustrestaurant.ca

Ouvert pour le repas du midi et du soir, l'August Restaurant fait le bonheur des habitués en leur servant des plats variés et bien apprêtés. Gratin aux fruits de mer, bœuf bourguignon et rouleaux croustillants de canard sont quelques exemples des mets que l'on peut déguster ici. Les mardi et jeudi dès 17h, le menu propose des tapas. Service amical.

The Good Earth Food and Wine Co. **$$-$$$** [26]
lun-jeu 11h à 16h, ven-sam jusqu'à 20h, dim 11h à 17h; 4556 Lincoln Ave., 905-563-6333, http://goodearthfoodandwine.com

Tout comme nous, vous aurez assurément un coup de cœur pour ce bistro superbement aménagé dans

Beamer Memorial Conservation Area.

La région de Twenty Valley - Grimsby

une ancienne grange. On s'y attable à l'intérieur ou à l'extérieur, entouré de bottes de foin et de vignes. Avec des plats inspirés des quatre coins du monde et concoctés avec les produits locaux, la cuisine est des plus alléchantes. En plus du restaurant, le site compte une école de cuisine et une boutique où vous pourrez vous procurer les vins fabriqués sur place.

Logement *(voir carte p. 85)*

The House by the Side of the Road *$$$$* [31]
4251 King St. E., 905-517-2888,
www.bbhousebythesideoftheroad.com
Christine (propriétaire également de deux chiens au pelage hypoallergène du nom de *Buddy* et *Holly*) se fait un plaisir de proposer à sa clientèle trois chambres à la décoration

soignée. La maison est grande, et partout on sent sa passion pour la décoration. Un grand patio permet de se relaxer à la fin de la journée. L'accueil est chaleureux et le petit déjeuner s'avère savoureux. Comme son nom le laisse supposer, le gîte est situé sur le bord de la route, ce qui pourrait en déranger certains qui ont le sommeil léger. Dans notre cas, nous n'avons pas été incommodés.

Grimsby

À voir, à faire
(voir carte p. 85)

Grimsby est une petite ville qui s'est développée en bordure du lac Ontario. Elle retient l'attention tous les printemps, lorsqu'on peut y observer des balbuzards, des pygargues à tête blanche et des faucons en migration vers leur lieu de nidification.

Grimsby Beach ★★ [11]

Grimsby offre une magnifique plage sur le lac Ontario. Profitez aussi de votre passage dans le coin pour aller vous balader sur **Temple Lane** [12] et **Auditorium Circle** [13], à quelques mètres au sud de la plage, où se trouvent des *gingerbread cottages*, ces petits cottages colorés à dentelles de bois qui rappellent les maisons en pain d'épice.

_____

Empruntez la route 14 vers le sud, puis prenez à droite la route 81. Prenez ensuite à gauche la route 12 puis à droite Ridge Road West.

Beamer Memorial Conservation Area [14]

entrée libre; tlj 8h à 20h; 28 Quarry Rd., 3 km au sud-ouest de la ville, par la route 12 et Ridge Rd. W., 905-892-6162, https://npca.ca/parks/beamer-memorial

Avis aux ornithophiles, sachez que c'est dans la Beamer Memorial Conservation Area, du début mars à la mi-mai, que l'on peut le mieux observer les oiseaux de proie dans la région.

Achats *(voir carte p. 85)*

Alimentation

Monk's Chocolate [19]
134 Main St., 905-309-6161
Chocolats, glaces et autres délices sucrés.

Cafés et restos

(voir carte p. 85)

270 Bench Kitchen $ [27]
lun-ven 8h à 17h30, sam-dim 8h à 16h;
270 Main St. E., 289-235-8952,
http://270benchkitchen.ca

Vaste choix de sandwichs gourmets. On y trouve seulement quelques places assises, mais vous pourrez emporter votre sandwich et le déguster à la plage.

Indian Hut Restaurant $-$$ [28]
lun-ven 11h30 à 21h, sam-dim 12h à 21h;
3 Mountain St., 289-336-0718,
https://indianhutrestaurant.ca

Ouvert en 2018, ce restaurant est déjà très populaire pour ses savoureux mets indiens faits à 99% sans gluten (le 1% correspond au pain *naan*). Plusieurs plats végétariens. Service amical.

Logement *(voir carte p. 85)*

Crown Ridge Bed & Breakfast $$$$ [32]
98 Russ Rd., 905-581-2796,
www.crownridgebandb.com

En plus de proposer trois chambres agréables, le Crown Ridge Bed & Breakfast est idéalement situé pour partir à la découverte des vignobles de la région. Sa propriétaire, Michelle, rendra votre séjour mémorable par toutes ses petites attentions, entre autres le délicieux petit déjeuner qu'elle vous servira.

La région de Twenty Valley - Grimsby

5

Le sud de la péninsule du Niagara

Ce circuit aborde le **sud de la péninsule du Niagara ★** et traverse quelques paisibles communautés situées entre la rivière Welland et le lac Érié. Ce grand lac, avec son eau limpide et sa température agréable en été, est un lieu de prédilection pour les amateurs de plongée. Les nombreuses épaves de bateaux qui gisent au fond de l'eau font également le bonheur des plongeurs. Quelques plages parsèment les rives du lac, notamment dans la région de Fort Erie, où se trouve Crystal Beach.

Stevensville

À voir, à faire

(voir carte p. 99)

Stevensville n'a pas de réel intérêt touristique, si ce n'est le Safari Niagara, un jardin zoologique et un parc d'attractions qui plairont à ceux qui voyagent en famille.

Safari Niagara ★ [1]

adultes 26$ à 35$, enfants 21$ à 29$;
mi-mai à mi-juin et début sept à mi-oct tlj 10h
à 17h, mi-juin à début sept tlj 9h à 18h;
2821 Stevensville Rd., 905-382-9669 ou
866-367-9669, https://safariniagara.com

Hébertisme, trampoline, pataugeoire, pédalo, pêche, cerf-volant, animaux de la ferme, reptiles, lions... vous n'aurez pas assez d'une journée pour faire le tour des activités et attraits de Safari Niagara.

Empruntez la route 116 vers le sud jusqu'à la route 3, que vous prendrez vers l'est.

Old Fort Erie.

Fort Erie

À voir, à faire

(voir carte p. 99)

Fort Erie, une petite ville sans grand charme, est située à la jonction de la rivière Niagara et du lac Érié. Le **Peace Bridge** [2] (pont de la Paix) la relie à Buffalo, dans l'État de New York aux États-Unis, et fait de la ville un poste-frontière majeur dans la région.

Old Fort Erie ★ [3]

13,25$; mi-mai à début sept tlj 10h à 17h, début sept à fin oct lun-ven 10h à 16h, sam-dim 10h à 17h; 350 Lakeshore Rd. (route 1), 905-871-0540, www.oldforterie.com
À l'extrémité sud de la rivière Niagara se dresse l'Old Fort Erie, une construction en pierre qui veille sur la région depuis 1764. Partiellement détruit au fil des ans, il a été restauré et présente aujourd'hui du matériel militaire ayant appartenu aux troupes anglaises et américaines. D'ailleurs, la visite guidée permet d'en apprendre davantage sur la guerre anglo-américaine de 1812. Un beau parc est aménagé autour du fort.

Cafés et restos

(voir carte p. 99)

ⓤ Ming Teh Restaurant $$ [10]

mar-sam 11h à 22h; 126 Niagara Blvd., 905-871-7971, www.mingtehrestaurant.com
Considéré par plusieurs comme le meilleur restaurant chinois de la péninsule du Niagara, le Ming Teh Restaurant sert en effet, dans un décor qui gagnerait à être rafraîchi, une délicieuse cuisine. Le menu est vaste et il peut être embêtant de

Le sud de la péninsule du Niagara

À voir, à faire ★

Stevensville
1. CY Safari Niagara

Fort Erie
2. EY Peace Bridge
3. EY Old Fort Erie

Crystal Beach
4. CZ Plage Crystal

5. CZ Point Abino Lighthouse

Port Colborne
6. CX West Street
7. AY Lock 8 Gateway Park
8. BX Port Colborne Historical & Marine Museum/Heritage Village

Activités ☀

Port Colborne
9. AY Welland Canals Parkway Trail

Cafés et restos ●

Fort Erie
10. EY Ming Teh Restaurant
11. EY The Old Bank Bistro

Crystal Beach
12. CZ Mabel's Gourmet Pizza

Port Colborne
13. BX Canalside Restaurant
14. BX Minor Fisheries
15. BX The Smokin' Buddha

Bars et boîtes de nuit ♪

Crystal Beach
16. DZ Brimstone Brewing Co.

Logement ▲

Crystal Beach
17. CZ Yellow Door Bed and Breakfast

Port Colborne
18. AY Talwood Manor Bed and Breakfast

choisir, mais le gentil personnel se fera un plaisir de vous aiguiller selon vos goûts.

The Old Bank Bistro $$$ [11]
lun-ven 11h à 22h, sam 16h à 22h; 41 Jarvis St., 905-994-9222, www.oldbankbistro.com
Logé dans un bâtiment de 1924 qui abritait autrefois une succursale de la Banque de Montréal, The Old Bank Bistro propose un menu de type bistro français : escargots, soupe à l'oignon, moules et calmars, entre autres. Le décor chaleureux, constitué de murs de briques, de lampadaires, de banquettes en bois et d'objets anciens, est splendide.

À partir de Fort Erie, prenez les routes 3 ou 1 vers l'ouest, puis la route 116 à gauche et Erie Road à droite pour accéder à la plage.

BUFFALO

NEW YORK
(États-Unis)

GRAND ISLAND

N

Niagara River

11 Phipps St.
Niagara Blvd
10 2
3

FORT ERIE

Bertie St.

122

Niagara Pkwy.

Queen Elizabeth Way

Sodom Rd.

116

STEVENSVILLE

Stevensville Rd.

Bertie St.

Garrison Rd.

Nigh Rd.

Dominion Rd.

Ridge Rd.

16

1

CRYSTAL BEACH

Gorham Rd.

17

4 12

Erie Rd.

5

Fox Rd.

26

Montrose Rd.

Welland Canals Parkway Trail
West St.
6
15
Park St.
13
King St.
14

Princess St.
8

Clarence St.

Catherine St.

Victoria St.

Adelaide St.

Charlotte St.

Elm St.

Kent St.

Ash St.

Foghorn Ln.

Fielden St.

0   150   300m

Port Colborne centre-ville

Third Concession Rd.

Second Concession Rd.

3

140

Killaly St.

Localisation du circuit

Toronto

Lac Ontario

9

Elm St.

West Side Rd.

PORT COLBORNE

18

Voir **Port Colborne** centre-ville

Lac Érié

0   0,5   1km

©ULYSSE

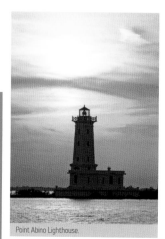
Point Abino Lighthouse.

Le sud de la péninsule du Niagara - Crystal Beach

Crystal Beach

À voir, à faire

(voir carte p. 99)

Crystal Beach ★, un village d'estivants fortunés, s'est développé près d'une des plus belles plages du lac Érié, la **Crystal Beach** ★★ [4], dont la longue bande de sable et les eaux particulièrement claires vous raviront. Elle est bordée de maisons dont les plus jolies, situées près de Point Abino, se présentent comme de riches résidences de vacanciers. S'y dresse aussi le **Point Abino Lighthouse** ★★ [5] *(Point Abino Rd. S., www.forterie.ca/pages/ PointAbinoLighthouse)*, un phare érigé en 1917 dans un style néoclassique (Greek Revival) qui lui confère une élégance unique. On peut accéder au site à pied ou à vélo *(entrée libre; fin juin à début sept lun-ven 15h à 18h, sam-dim 10h à 18h)*, mais il faut prendre part à une visite guidée pour entrer dans le phare *(6$; début juin à fin sept horaire variable; départs du Bertie Boating Club, 1036 Point Abino Rd. S.)*.

Cafés et restos

(voir carte p. 99)

Mabel's Gourmet Pizza *$-$$* [12]

juil et août mer-lun 16h à 20h, avr à juin et sept à nov mer-sam 16h à 20h; 4068 Erie Rd., 905-894-4973, www.mabelsgourmetpizza.com
Pour une bonne pizza à croûte mince garnie d'ingrédients de première qualité, Mabel's est l'endroit où aller. Il n'y a pas de tables; il s'agit plutôt d'un comptoir pour emporter. Argent comptant seulement.

Bars et boîtes de nuit

(voir carte p. 99)

Brimstone Brewing Co. [16]
209 Ridge Rd. N., Ridgeway, 289-876-8657, www.brimstonebrewing.ca
C'est dans une ancienne église reconvertie en centre d'arts que la Brimstone Brewing Co. propose ses bières aux noms évocateurs, comme Heretic et Sinister Minister IPA. Menu éclectique de bouchées et plats qui les accompagnent bien.

Logement *(voir carte p. 99)*

Yellow Door
Bed and Breakfast *$$$$* [17]
254 Elmwood Ave., 289-876-8399 ou
289-876-8399, www.yellowdoorbandb.com
Situé à quelques minutes à pied de
la belle plage Crystal, ce *bed and
breakfast* propose une spacieuse
suite avec salon. Les hôtes chaleureux se feront un plaisir de rendre
votre séjour le plus agréable possible. Une piste cyclable passant
tout près, le lieu est très populaire
parmi les cyclistes. À noter que les
propriétaires possèdent un chat,
mais qu'il n'a pas accès à la suite.
Clientèle de 16 ans ou plus.

*Pour vous rendre à Port Colborne,
prenez la route 3 vers l'ouest jusqu'à
ce qu'elle devienne Main Street.*

Port Colborne

À voir, à faire
(voir carte p. 99)

West Street ★ [6]
West Street, qui longe le canal Welland à Port Colborne, constitue un
arrêt agréable pour qui désire casser
la croûte ou simplement se dégourdir les jambes en observant les activités du port juste en face.

Lock 8 Gateway Park [7]
*entrée libre; délimité par Main St., Mellanby
Ave. et le canal Welland*
C'est à Port Colborne, situé aux
abords du lac Érié, que se trouve
l'écluse n° 8, la dernière du canal
Welland. S'étirant sur 420 m, c'est
l'une des plus longues écluses
simples au monde. Vous pourrez la
voir de plus près en vous rendant au
Gateway Park.

Port Colborne Historical
& Marine Museum [8]
entrée libre; mai à déc tlj 12h à 17h;
280 King St., 905-834-7604,
http://portcolborne.ca/page/museum
Si l'histoire du canal Welland vous
intéresse, rendez-vous au Port Colborne Historical & Marine Museum.
Après votre visite du musée, prenez
le temps de vous promener dans
l'**Heritage Village**, qui compte plusieurs bâtiments historiques dont
une école datant du milieu du XIXᵉ s.

Activités *(voir carte p. 99)*

Vélo

Welland Canals Parkway Trail
[9]
www.niagaracyclingtourism.com
Cette piste cyclable longe le canal
Welland sur 45 km entre Port Colborne et St. Catharines.

Cafés et restos
(voir carte p. 99)

Canalside Restaurant *$-$$*
[13]
dim-mer 11h30 à 21h, jeu-sam 11h30 à 22h;
230-232 West St., 905-834-6090,
www.canalside.ca
Ce qui ressemble, au premier regard,
à un pub plutôt commun se révèle
être un très bon restaurant. On y propose un large choix de bières, mais
la nourriture qui y est servie va audelà des classiques ailes de poulet. Le
menu affiche de délicieuses salades,
des beignets de crabe et des ham-

Le sud de la péninsule du Niagara - Port Colborne

Le canal Welland à Port Colborne.

burgers gourmets. L'ambiance est agréable et on peut en profiter pour faire quelques achats à la boutique d'accessoires culinaires adjacente.

Minor Fisheries $-$$ [14]
été mar-mer 10h à 18h, jeu-sam 8h à 19h, reste de l'année jeu-sam 11h à 19h; 176 West St., 905-834-9232, https://minorfisheries.net
Pour vous procurer du poisson frais à Port Colborne, arrêtez-vous à la poissonnerie Minor Fisheries. Elle abrite aussi un restaurant avec terrasse qui sert un très bon *fish and chips* (choisissez le doré s'il est au menu). À noter que plusieurs employés parlent le français.

The Smokin' Buddha $-$$ [15]
mar 16h30 à 21h, mer-sam 11h30 à 22h; Old Train Station, 265 King St., 905-834-6000, http://thesmokinbuddha.com
The Smokin' Buddha puise ses saveurs dans les cuisines thaï-landaise, indienne, coréenne et mexicaine, ce qui comblera à coup sûr les amateurs de cuisine épicée. Mieux vaut réserver pour s'assurer d'une place. Bon choix de mets végétariens et options sans gluten. Petite terrasse en saison. Service décontracté.

Logement *(voir carte p. 99)*

Talwood Manor Bed and Breakfast $$$ [18]
303 Fielden Ave., 905-348-5411, www.talwoodmanorbb.com
Charmante maison datant de 1915, le Talwood Manor est richement garni de meubles d'époque. Chaque chambre est spacieuse et décorée selon un thème différent (Tudor, écossais, asiatique, tropical). L'hôte est particulièrement attentive aux besoins de la clientèle. Le petit déjeuner se révèle savoureux. Pour adultes seulement.

6 ↘

De Hamilton à Toronto

Plusieurs voyageurs qui se rendent pour un séjour dans la péninsule du Niagara en profitent pour faire halte dans des villes comme Hamilton et, surtout, Toronto. Nous vous proposons donc un circuit qui vous mènera jusqu'à la Ville reine et ses nombreux attraits, au départ de Hamilton, en passant par Oakville et Mississauga.

Ce circuit peut aussi être effectué dans l'autre sens, au départ de Toronto vers la péninsule, ce qui conviendra aux visiteurs qui passent d'abord par la capitale ontarienne, soit parce qu'ils atterrissent au Toronto Pearson International Airport ou qu'ils arrivent en voiture du Québec.

Pour vous rendre à Hamilton à partir de la péninsule du Niagara, empruntez la route 81 ou la Queen Elizabeth Way (QEW) vers l'ouest.

Hamilton

À voir, à faire

La ville de **Hamilton ★** est agréablement installée au bord du lac Ontario, le long duquel de fort beaux parcs ont été aménagés, entre autres le **Bayfront Park**. Grâce à l'emplacement de la ville, tout contre l'escarpement du Niagara, on retrouve près d'une centaine de chutes dans ses environs. Les **Albion Falls** *(stationnement sur Mountain Brow Blvd.)*, **Sherman Falls** *(stationnement sur Artaban Rd.)* et **Devil's Punchbowl Falls** *(stationnement sur Ridge Rd.)* valent notamment le coup d'œil. Pas étonnant que Hamilton soit surnommée la «capitale mondiale des chutes». Le centre-ville et ses abords, le long de King Street, n'ont pour leur part rien d'attirant pour les promeneurs, si ce n'est le plaisant **Hess Village** ★ *(Hess St. entre Main St. et King St.)*, composé d'élégantes demeures, de boutiques et de restaurants.

Whitehern Historic House and Garden National Historic Site

7,50$; mar-dim 12h à 16h; 41 Jackson St. W., 905-546-2018

La splendide Whitehern House, de style georgien d'inspiration classique, fut construite vers la fin des années 1840. En 1852, le D^r McQuesten l'acheta et elle demeura entre les mains de sa famille jusqu'en 1968. Désormais ouverte aux visiteurs, elle a été restaurée et remeublée comme à l'origine, dans un décor qui reflète les goûts d'une famille prospère au milieu du XIXe s.

Marchez vers l'est dans Jackson Street et tournez à gauche dans James Street.

St. Paul's Presbyterian Church ★

70 James St. S.

La plus britannique des églises ontariennes du XIXe s. est sans contredit la petite St. Paul's Presbyterian Church, œuvre du talentueux architecte William Thomas. Cette église datant de 1855 dresse son élégant clocher de grès surmonté d'une flèche en pierre.

Continuez dans James Street jusqu'à King Street, que vous emprunterez à gauche.

Art Gallery of Hamilton (AGH) ★

10$; mer et ven 11h à 18h, jeu 11h à 20h, sam-dim 12 à 17h; 123 King St. W., 905-527-6610, www.artgalleryofhamilton.com

Ouverte depuis 1914, l'Art Gallery of Hamilton expose dans un bâtiment au design moderne des œuvres variées, notamment des peintures et des gravures. C'est cependant sa collection d'art contemporain qui est la plus riche.

Les deux attraits qui suivent, quoiqu'un peu à l'écart du centre-ville, sont tout de même accessibles en une vingtaine de minutes de marche. Poursuivez vers l'ouest dans King Street.

Cathedral Basilica of Christ the King ★

714 King St. W., https://ctkbasilica.ca

Près du centre-ville, il est difficile de ne pas remarquer l'imposante Cathedral Basilica of Christ the King. Elle fut érigée en 1933 à l'instigation du révérend J.T. McNally, qui voulait en faire un temple dont la prestance et la beauté seraient une invitation au recueillement. L'édifice en pierre de style néogothique comporte une flèche haute de 106 m et un clocher qui renferme un carillon de 23 cloches. L'intérieur est décoré de fines sculptures de marbre, de pierre et de bois, ainsi que de grands vitraux et de belles toiles, qui ensemble font de ce lieu de culte un des plus beaux de la ville.

Revenez sur vos pas dans King Street, tournez à gauche dans Dundurn Street, puis encore à gauche

Lieu historique national du Château-Dundurn.

dans York Boulevard pour rejoindre l'entrée du Lieu historique national du Château-Dundurn.

Lieu historique national du Château-Dundurn ★★
12$; mar-dim 12h à 16h; 610 York Blvd., 905-546-2872

Considéré comme le joyau de Hamilton, le **Dundurn Castle** peut justement être qualifié de «château» en raison de ses dimensions imposantes et de son architecture, une adroite combinaison du palladianisme anglais et de la Renaissance italienne dans le style des villas toscanes. Il fut bâti en 1835 pour Sir Allan Napier MacNab, premier ministre du Canada-Uni de 1854 à 1856. Restauré, meublé et décoré tel que vous auriez pu le voir en 1855, ce château de 40 pièces somptueuses vous fera connaître tout un pan de la bourgeoisie du XIXe s. Les pièces les plus fascinantes sont peut-être celles situées au sous-sol, autrefois habitées par les domestiques, car elles permettent de se faire une idée de leur difficile vie au château. Les visites guidées sont particulièrement intéressantes.

Sur le domaine du château, vous remarquerez un petit bâtiment (l'ancien corps de garde) qui abrite aujourd'hui le **Hamilton Military Museum**. Une collection de différents uniformes qu'ont portés les soldats canadiens au fil des ans y est présentée.

Lieu historique national du NCSM *Haida* ★
adultes 4$; mi-mai à fin juin et début sept à début oct jeu-dim 10h à 16h45, fin juin à début sept tlj 10h à 16h45; 658 Catherine St. N., 3 km au nord du centre-ville par Bay St., 905-526-6742, www.pc.gc.ca/haida

L'impressionnant destroyer NCSM *Haida*, construit en Angleterre, a

De Hamilton à Toronto - Hamilton

servi pour l'armée canadienne lors de la Seconde Guerre mondiale et fut remis à neuf par la suite. On peut désormais monter à bord du navire et en apprendre plus sur la vie des marins lors du conflit.

McMaster University
1280 Main St. W., 4 km à l'ouest du centre-ville par Main St., www.mcmaster.ca

La McMaster University a été fondée à Toronto au milieu du XIXe s. avant d'être transférée à Hamilton en 1928. L'année suivante, on entreprenait la construction de son **University Hall ★**, un beau pavillon dans le style des bâtiments des campus d'Oxford et de Cambridge, en Angleterre. On remarque plus particulièrement sur sa façade les multiples gargouilles et mascarons symbolisant les différentes disciplines enseignées à l'université.

Royal Botanical Gardens ★★
18$; tlj 10h à 17h; 680 Plains Rd. W., Burlington, environ 7 km au nord du centre-ville par York Blvd. puis Plains Rd., 905-527-1158 ou 800-694-4769, www.rbg.ca

Les Royal Botanical Gardens offrent l'occasion d'une balade unique. Une bonne partie de ce parc, qui s'étend sur quelque 11 km², est composée d'une réserve naturelle dénommée Cootes Paradise («paradis des foulques»), qui comprend des sentiers sillonnant des marais et des ravins boisés. En plus de parcourir cette aire naturelle, vous pourrez vous balader dans différents jardins, entre autres la roseraie et la rocaille, qui se parent de milliers de fleurs le printemps venu, et le jardin de lilas, le plus grand au Canada. L'hiver, les serres présentent diverses expositions florales.

African Lion Safari ★★
adultes 34$ à 40$, enfants 23$ à 28$; début mai à fin sept tlj dès 9h; 1386 Cooper Rd., Cambridge, 519-623-2620 ou 800-461-9453, https://lionsafari.com

Situé à 35 km au nord-ouest de Hamilton, African Lion Safari accueille plusieurs espèces d'animaux (éléphants, girafes, zèbres, lions, lémuriens, singes, bisons) que l'on peut observer depuis son véhicule en suivant un parcours de 9 km. Ceux qui préfèrent ne pas utiliser leur véhicule peuvent faire le trajet à bord d'un autobus du parc animalier (supplément).

Cafés et restos

Black Forest Inn $$-$$$
mar-jeu et dim 11h30 à 21h, ven-sam jusqu'à 22h; 255 King St. E., 905-528-3538, https://blackforestinn.ca

Certains affirment qu'il s'agit du meilleur restaurant de spécialités allemandes et suisses à des kilomètres à la ronde. Une chose est certaine : les plats sont préparés dans le respect des traditions (schnitzel, saucisses maison et goulash), ils sont délicieux et les portions s'avèrent copieuses. Une bonne adresse à connaître quand on a un bon appétit!

African Lion Safari.

Shakespeare's Steakhouse
$$$-$$$$

lun-ven 11h30 à 14h et 17h à 22h, sam 17h à 22h; 181 Main St. E., 905-528-0689, www.shakespeares.ca

Les personnes qui préfèrent s'offrir un bon steak juteux et tendre à souhait seront comblées au Shakespeare's Steakhouse. Les plats de fruits de mer sont aussi bien préparés. Service attentionné.

Bars et boîtes de nuit

Gown and Gavel
24 Hess St. S., 905-523-8881, https://gownandgavel.ca

Aménagé dans une belle maison victorienne du **Hess Village** (voir p. 104), Gown and Gavel est devenu, grâce à son décor chaleureux et à sa terrasse, l'une des institutions de la ville. Une faune estudiantine le fréquente assidûment.

Logement

Sheraton Hamilton Hotel
$$$$

116 King St. W., 905-529-5515 ou 888-627-8161, www.marriott.com

En face de l'**Art Gallery of Hamilton** (voir p. 104), en plein cœur du centre-ville, se dresse le Sheraton. Cette belle construction moderne renferme des chambres tout confort. Piscine intérieure chauffée et terrasse sur le toit. Restaurant sur place.

———

Empruntez l'autoroute 403 en direction est pour vous rendre à Oakville.

De Hamilton à Toronto - Oakville

Oakville.

Oakville

À voir, à faire

Profitant à merveille de sa situation en bordure du lac Ontario, **Oakville** ★ a tout pour combler les citadins en mal de plein air la fin de semaine venue. Sur le lac a été aménagée une **marina**, fréquentée par nombre de grands voiliers et de superbes yachts. Si l'on désire aller s'y promener tranquillement, mieux vaut stationner sa voiture (à l'angle des rues Water et Robinson). Après avoir déambulé en bordure des flots miroitants, il faut faire un saut au centre-ville, qui se compose d'une succession de jolies boutiques et de bons restaurants.

Cafés et restos

Paradiso $$-$$$
dim-jeu 11h30 à 21h, ven-sam jusqu'à 23h;
125 Lakeshore Rd., 905-338-1594,
www.paradisorestaurant.com
À deux pas de l'animation du centre d'Oakville, le Paradiso propose des mets délicieux issus de traditions culinaires de l'Italie, apprêtés avec un peu d'originalité. Le cadre assez joli et le service courtois en font un endroit agréable pour prendre un repas. Menus végétarien et sans gluten disponibles. Petite terrasse.

Poursuivez en direction est sur l'autoroute 403 pour rejoindre Mississauga.

Absolute World.

Mississauga
À voir, à faire

Mississauga Civic Centre ★★
300 City Centre Dr.

En route vers Toronto, les amateurs d'architecture contemporaine ne manqueront pas de faire un détour par Mississauga pour admirer le Mississauga Civic Centre. Abritant l'hôtel de ville, une galerie d'art, un restaurant et un centre communautaire et culturel, cet édifice est la plus débridée des œuvres postmodernes canadiennes. Réalisé selon les plans des architectes Jones et Kirkland entre 1982 et 1987, il est dominé par sa tour d'horloge, haute de 20 étages. Il faut pénétrer à l'intérieur pour admirer son Great Hall, aux imposantes colonnes de marbre et de granit.

Absolute World ★★
50-60 Absolute Ave.

Autre merveille architecturale de Mississauga: les deux superbes tours en verre d'Absolute World, dont les fortes courbes lui ont attribué le surnom de «Marilyn Monroe Towers». Érigées en 2012 d'après les plans de l'architecte chinois Ma Yansong, elles atteignent respectivement 179,5 m et 161 m. Les tours ont une torsion de 209 degrés, créant ainsi un effet spectaculaire. Ces deux structures font partie d'un ensemble de cinq tours résidentielles.

———

Rejoignez Toronto en empruntant la Queen Elizabeth Way (QEW) puis la Gardiner Expressway vers l'est.

De Hamilton à Toronto - Mississauga

De Hamilton à Toronto - Toronto

Toronto.

Toronto

À voir, à faire

(voir carte p. 113)

Multiculturelle, vivante et colorée, capitale économique et métropole du Canada, **Toronto ★★★** n'en demeure pas moins une ville de quartiers qui n'a pas fini de surprendre ses visiteurs.

Le Waterfront ★★★

La proximité d'un plan d'eau important annonce souvent le cœur de l'effervescence d'une ville, et Toronto ne fait pas exception à la règle. Le Waterfront vibre au rythme du calendrier artistique intense du **Harbourfront Centre ★★** [1] *(235 Queen's Quay W., 416-973-4000, www.harbourfrontcentre.com; tramway 509 ou 510 depuis le métro Union).* À l'est de la raffinerie de sucre Redpath s'étend **Sugar Beach ★★** [2] *(11 Dockside Dr.; métro Union, puis autobus 6 en direction sud à partir de l'angle de Bay St. et Front St.),* une jolie plage artificielle publique au sable blond, aux parasols roses et aux accueillants fauteuils Muskoka, typiques de l'Ontario. La plage ne donne pas accès au lac, mais elle comporte une petite section de jets d'eau où l'on peut se rafraîchir. Elle marque le début de la **Water's Edge Promenade ★★** [3], bordée d'arbres, qui se prolonge vers l'est jusqu'aux canaux du Sherbourne Common.

Fort York ★★ [4]

adultes 14$, enfants 6$ à 8$; mi-mai à début sept tlj 10h à 17h, début sept à mi-mai lun-ven 10h à 16h, sam-dim 10h à 17h; 250 Fort York Blvd., 416-392-6907, www.fortyork.ca; tramway 509 depuis le métro Union

Site fondateur de Toronto, le Fort York fut érigé en 1783 par le gouverneur Simcoe pour faire face à la menace des Américains. Détruit par ces derniers en 1813, puis reconstruit peu de temps après, le Fort York est aujourd'hui le site canadien le plus important datant de la guerre anglo-américaine de 1812. Des baraques meublées et un petit musée illustrent le style de vie des officiers et des soldats. En été, des figurants se livrent à des manœuvres militaires en costumes d'époque.

Empruntez Queen's Quay vers l'est pour vous rendre au Jack Layton Ferry Terminal, d'où partent les traversiers qui desservent les îles de Toronto.

Îles de Toronto ★★

reliées au Jack Layton Ferry Terminal sur Queen's Quay par une navette lacustre (adultes 7,87$ aller-retour; en service toute l'année); www.toronto.ca/parks/island

Les 17 îles de Toronto – dont 8 seulement portent un nom – présentent une collection à faire rêver de sentiers, de plages et de 260 cottages appartenant aux familles qui les habitent toujours, grâce à des droits acquis. L'un des points forts de cette oasis urbaine tient à la vue spectaculaire sur Toronto qu'elle offre, avec le lac qui scintille de partout durant le jour et la ville qui rutile tel un bijou le soir venu. Petit détail qui ajoute au charme :

Toronto

De Hamilton à Toronto

À voir, à faire ★

1.	BZ	Harbourfront Centre	**8.**	BY	Nathan Phillips Square
2.	CZ	Sugar Beach	**9.**	BX	City Hall
3.	CZ	Water's Edge Promenade	**10.**	BX	Grange Park
4.	AZ	Fort York	**11.**	BX	Sharp Centre for Design
5.	BZ	CN Tower/EdgeWalk/	**12.**	BX	Art Gallery of Ontario (AGO)/
		Haut-Da Cieux/Sky Pod			The Grange
6.	BZ	Ripley's Aquarium of Canada	**13.**	AY	West Queen West (WQW)
7.	CY	Hockey Hall of Fame/Temple	**14.**	BV	Royal Ontario Museum (ROM)
		de la renommée du hockey			

Achats ■

15.	BV	Bloor Street	**17.**	CX	Toronto Eaton Centre
16.	BX	The Gallery Shop			

Cafés et restos ●

18.	BZ	360 Restaurant	**22.**	AY	Doomie's
19.	AY	Alo/Aloette	**23.**	BX	Lai Wah Heen
20.	BY	Assembly Chef's Hall	**24.**	CY	Richmond Station
21.	CV	Café Boulud			

Bars et boîtes de nuit ♪

25.	CY	beerbistro	**27.**	AY	The Horseshoe Tavern
26.	CY	Canoe			

Culture et divertissement ♦

28.	CY	Elgin & Winter Garden Theatres	**30.**	BY	Royal Alexandra Theatre
29.	BY	Four Seasons Centre			
		for the Performing Arts/			
		Canadian Opera Company/			
		National Ballet of Canada			

Logement ▲

31.	BX	Beverley Place Bed & Breakfast	**35.**	BY	Hôtel Le Germain Toronto
32.	CX	Bond Place Hotel	**36.**	CY	Omni King Edward
33.	BY	Fairmont Royal York	**37.**	AY	The Drake Hotel
34.	CY	HI Toronto			

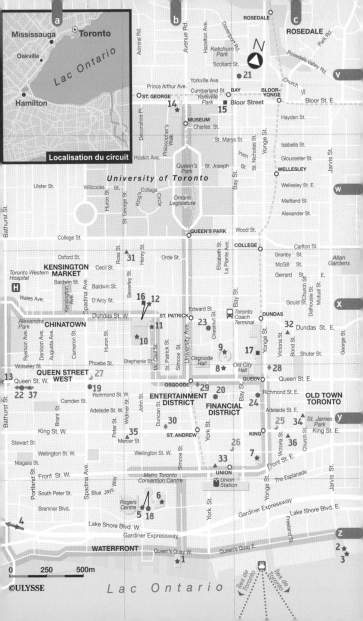

Localisation du circuit

Mississauga
Toronto
Oakville
Lac Ontario
Hamilton

ROSEDALE

ROSEDALE

Ketchum Park
Scollard St.
21
Prince Arthur Ave.
Yorkville Ave.
ST. GEORGE
14
Cumberland St.
Yorkville Park
BAY
BLOOR-
YONGE
Bloor Street
15
Bloor St. E.
Hayden St.
MUSEUM
Charles St.
St. Marys St.
Isabella St.
Gloucester St.
St. Joseph
WELLESLEY
Queen's
Park
Wellesley St. E.

University of Toronto
Maitland St.
Alexander St.

Ulster St.
Willcocks
St.
College
Ontario
Legislature
QUEEN'S PARK
Wood St.
College St.
COLLEGE
Carlton St.
Oxford St.
Granby
Granby St.
McGill St.
Allan
Gardens
KENSINGTON
MARKET
31
Orde St.
Gerrard St. E.
Toronto Western
Hospital
Cecil St.
Baldwin St.
Gould St.
H
Baldwin St.
D'Arcy St.
16 12
Edward St.
DUNDAS
32
Wales Ave.
Dundas St. W.
ST. PATRICK
Toronto
Coach
Terminal
Dundas St. E.
Alexandra
Park
CHINATOWN
11
23
17
Shuter St.
10
9
Phoebe St.
Stephanie St.
Osgoode
Hall
Old City
Hall
28
QUEEN STREET
WEST
27
8
QUEEN
Queen St. E.
13
Queen St. W.
OSGOODE
29
20
Richmond St. E.
OLD TOWN
TORONTO
22 37
19
Richmond St. W.
ENTERTAINMENT
DISTRICT
FINANCIAL
DISTRICT
24
Adelaide St. E.
Camden St.
Adelaide St. W.
25
34
St. James
Park
King St. W.
30
ST. ANDREW
KING
King St. E.
35
36
Mercer St.
26
Wellington St. W.
Wellington St. W.
7
Front St. E.
Niagara St.
33
Front St. W.
UNION
Metro Toronto
Convention Centre
Union
Station
South Peter St.
Bremner Blvd.
6
Rogers
Centre
5 18
Gardiner Expressway
Lake Shore Blvd. E.
4
Lake Shore Blvd. W.
Gardiner Expressway
2
3
WATERFRONT
Queen's Quay W.
Queen's Quay E.
Îles de
Toronto
1
Îles de
Toronto

0   250   500m

©ULYSSE

Lac Ontario

CN Tower.

les voitures sont interdites sur toutes les îles! Il est dépaysant de déambuler dans les petites rues piétonnes bordées de jolies maisons aux terrains agréablement aménagés de Ward's Island et d'Algonquin Island. Les îles de Toronto comportent de nombreuses plages ayant chacune son propre cachet.

De retour sur le Waterfront, revenez sur vos pas en empruntant Queen's Quay vers l'ouest. Tournez à droite dans Lower Simcoe Street et marchez jusqu'à Front Street, que vous prendrez à gauche.

CN Tower ★ ★ ★ [5]

plateforme d'observation adultes 38$, enfants 28$, ajoutez 3$ pour réserver en ligne une visite à heure fixe; tlj 9h à 22h30; 301 Front St. W., 416-868-6937, www.cntower.ca; métro Union

Le symbole de Toronto domine la ville du haut de ses 553,33 m, ce qui en fait l'une des structures les plus élevées du monde. Située à 346 m de hauteur et aménagée sur quatre niveaux, la plateforme d'observation principale comprend une cage d'observation extérieure (ouverte lorsque la température le permet) ainsi qu'un salon d'observation intérieur comportant un plancher de verre. Au niveau LookOut, les baies vitrées des Window Walls dévoilent tout un spectacle : la ville et ses gratte-ciel d'un côté, le lac Ontario et les îles de Toronto de l'autre. C'est à ce niveau que se trouvent les VUE Bistros, trois comptoirs où l'on peut commander une bouchée à manger en admirant une vue tout aussi inoubliable. Encore plus haut s'étend la promenade extérieure la plus élevée

Ripley's Aquarium of Canada.

du monde, l'**EdgeWalk** (ou **Haut-Da Cieux**) *(195$; mars à oct)*, qui permet pendant 30 min aux courageux marcheurs retenus par des câbles d'évoluer à 356 m du sol sur une corniche circulaire. Pour un supplément de 15$, les visiteurs peuvent emprunter d'autres ascenseurs pour rejoindre le **Sky Pod**, situé à 447 m d'altitude.

Ripley's Aquarium of Canada ★★★ [6]

adultes 30$ à 37$, enfants 7$ à 25$; tlj 9h à 23h; 288 Bremner Blvd., 647-351-3474, www.ripleyaquariums.com/canada; métro Union

Les foules se pressent au Ripley's Aquarium of Canada, situé au pied de la Tour CN, pour voir les aquariums modernes, les bassins qui recréent des écosystèmes marins et les petites piscines où l'on peut toucher à des raies. Son bassin principal contient un fascinant tunnel de 97 m où l'on circule lentement sur un tapis roulant pour observer requins, tortues et poissons-scies sous tous les angles.

_____

Empruntez Front Street en direction est et tournez à gauche dans Yonge Street.

Hockey Hall of Fame ★★ [7]

18$; fin juin à début sept lun-sam 9h30 à 18h, dim 10h à 18h, reste de l'année lun-ven 10h à 17h, sam 9h30 à 18h et dim 10h30 à 17h; 30 Yonge St., 416-360-7735, www.hhof.com

Vous y trouverez tout ce qui a marqué l'histoire de ce sport jusqu'à aujourd'hui. Le **Temple de la renommée du hockey** comporte 17 zones qui couvrent près de 6 000 m² , soit la superficie de trois patinoires de hockey. Ne manquez surtout pas l'Esso Great Hall, où

De Hamilton à Toronto - Toronto

Nathan Phillips Square.

vous attend, sous une magnifique coupole, la Coupe Stanley originale, offerte par Lord Stanley of Preston en 1892 (le plus vieux trophée dans le domaine du sport professionnel en Amérique du Nord).

Poursuivez vers le nord dans Yonge Street et tournez à gauche dans Queen Street.

Nathan Phillips Square ★★★ [8]

Devant l'audacieux édifice moderne du **City Hall** ★★ [9] *(100 Queen St. W.; métro Osgoode)*, ce vaste espace public est marqué par un grand bassin d'eau, franchi par trois arches, qui se transforme en une patinoire l'hiver. Ce square est le cœur de la vie publique au centre-ville. On y trouve de l'animation en continu, de la musique en direct, un petit marché fermier et un feu roulant d'événements spéciaux l'été.

Poursuivez vers l'ouest dans Queen Street, puis prenez à droite McCaul Street.

Grange Park ★★ [10]

Récemment remodelé et offrant une belle vue sur la large façade bleue de l'Art Gallery of Ontario (AGO) en toile de fond, le Grange Park est agrémenté d'un magnifique terrain de jeu au mobilier original. Il côtoie le tout aussi original pavillon de quatre étages du Sharp Centre for Design.

Sharp Centre for Design ★★ [11]

100 McCaul St., 416-977-6000, www.ocadu.ca

Cet étonnant pavillon de l'OCAD University (anciennement l'Ontario Col-

Art Gallery of Ontario (AGO).

lege of Art and Design) ressemble à une gigantesque table montée sur 12 immenses pilotis colorés. L'édifice loge neuf galeries qui exposent les œuvres des étudiants de l'université et d'artistes invités. Des citations inspirantes de Canadiens célèbres sont gravées sur le sentier qui relie le Grange Park à John Street, au sud, dont une en français, la célèbre phrase d'ouverture de la chanson *Mon pays* de l'auteur-compositeur-interprète québécois Gilles Vigneault : «*Mon pays, ce n'est pas un pays, c'est l'hiver.* »

Art Gallery of Ontario (AGO) ★★★ [12]

19,50$; mar et jeu 10h30 à 17h, mer et ven 10h30 à 21h, sam-dim 10h30 à 17h30; 317 Dundas St. W., 416-979-6648 ou 877-225-4246, www.ago.net; métro St. Patrick

La prestigieuse exposition permanente de l'AGO couvre une période allant du XVᵉ s. à nos jours. Vous y verrez entre autres des œuvres canadiennes historiques et contemporaines, ainsi que des chefs-d'œuvre de grands maîtres européens. Adjacente à l'Art Gallery of Ontario, subsiste sa première demeure, **The Grange ★**, dont la façade arrière est intégrée au magnifique atrium du musée. La boutique du musée est immense et franchement exceptionnelle.

———

Empruntez Dundas Street vers l'ouest jusqu'au cœur du Chinatown, qui rayonne autour de l'intersection de l'avenue Spadina et de la rue Dundas, et profitez-en pour aller manger et faire quelques achats.

Kensington Market.

Chinatown ★★

Des enseignes aux couleurs vives, des trottoirs bondés, de la musique populaire cantonaise partout dans l'air, des étalages de canards laqués, des senteurs de fruits frais et de thé de ginseng qui se mélangent aux odeurs prenantes de durions et de poisson frais : le Chinatown est un festin pour tous les sens. Le Chinatown de Toronto n'est pas le plus grand d'Amérique du Nord, mais il est peut-être le plus pittoresque, le plus proche de la vie à Hong Kong et dans le sud de la Chine.

Poursuivez maintenant dans Dundas Street à l'ouest de Spadina, en direction du Kensington Market. De Dundas Street, tournez à droite dans Kensington Avenue et vous y êtes.

Kensington Market ★★★

www.kensington-market.ca; tramway 501

Le Kensington Market, un savoureux mélange d'influences juives, portugaises, asiatiques et antillaises, attire une faune jeune et bohème. Votre exploration du Kensington Market sera encore plus agréable lors des **Pedestrian Sundays** *(mai à oct derniers dim 12h à 19h)*, alors que les rues sont interdites aux véhicules.

Revenez à Dundas Street et marchez vers l'ouest jusqu'à Bathurst Street. Tournez à gauche et marchez jusqu'à Queen Street.

West Queen West (WQW) ★★★ [13]

www.westqueenwest.ca

Entre Bathurst Street et Gladstone Avenue s'étend le secteur de West Queen West, qui vit à l'heure du

Royal Ontario Museum (ROM).

«bohème-branché». On y découvre une panoplie de petits restos sympas qui, bien que dernier cri, n'en conservent pas moins cet air de bohème artistique. Les friperies côtoient les boutiques de jeunes designers torontois: vous croiserez dans ce secteur plusieurs boutiques de mode, marchands de chaussures et magasins de décoration.

Empruntez University Avenue en direction nord et traversez le Queen's Park pour vous rendre au Royal Ontario Museum.

Royal Ontario Museum (ROM) ★★★ [14]
20$, entrée libre 3e lundi du mois 17h30 à 20h30; tlj 10h à 17h30; 100 Queen's Park, 416-586-8000, www.rom.on.ca; métro Museum

Le Musée royal de l'Ontario (ROM) veille sur 6 millions de trésors artistiques, archéologiques et naturels; c'est le plus grand musée au Canada. Le ROM compte parmi les musées d'histoire naturelle les plus importants et les plus populaires du monde. Depuis 2007, le ROM comprend le Michael Lee-Chin Crystal, une énorme structure de verre et d'aluminium en forme de prismes de cristal surplombant la rue Bloor et abritant six galeries. Le Crystal est particulièrement impressionnant au crépuscule, alors que les grands dinosaures qu'il abrite sont parfaitement éclairés dans leurs salles transparentes.

Achats *(voir carte p. 113)*

Artères commerciales

Bloor Street [15]
La partie de Bloor Street qui s'étend d'Avenue Road à Yonge Street est l'artère commerçante la plus pres-

tigieuse du Canada. Sur cette artère qu'on surnomme *Mink Mile* (« mille du vison »), vous trouverez des noms aussi prestigieux que Louis Vuitton, Tiffany, Prada, Cartier, Hermès, Guerlain, Dolce & Gabbana et Harry Rosen (ce qui n'empêche pas la présence du grand magasin d'aubaines Winners).

Le réseau souterrain **PATH** *(www. torontoPATH.com)* abrite plus de 1 200 boutiques, commerces, restaurants et cafés desservant les travailleurs du centre-ville. Sachez toutefois que le PATH est accessible mais désert en soirée et durant le week-end. Seuls quelques restaurants demeurent ouverts en dehors des heures de bureau.

Cadeaux et souvenirs

The Gallery Shop [16]
Art Gallery of Ontario, 317 Dundas St. W., 416-979-6610, www.ago.net/shop
À la fois librairie, commerce d'objets de décoration et bijouterie, la boutique de l'Art Gallery of Ontario mérite qu'on s'y arrête quelques instants. Nombre de pièces proposées sont de très belle qualité et s'adressent autant aux adultes cherchant un produit hors de l'ordinaire qu'aux enfants de tout âge. De très nombreuses répliques d'œuvres d'art du musée y sont en montre.

Centres commerciaux

Toronto Eaton Centre [17]
220 Yonge St., angle Queen St. W., 416-598-8700, www.torontoeatoncentre.com

Depuis son ouverture en 1977, l'Eaton Centre demeure la plus grande galerie commerciale du centre-ville de Toronto. Il regroupe quelque 250 boutiques et est un incontournable pour tout « accro du *shopping* ».

Cafés et restos

(voir carte p. 113)

Doomie's $-$$ [22]
Vegandale Brewery, 1346 Queen St. W., www.doomiestoronto.com
Un des restaurants végétaliens les plus populaires de Toronto, Doomie's a récemment déménagé ses pénates au sein de la Vegandale Brewery, une brasserie également végétalienne. Il propose toujours ses mêmes savoureuses interprétations des grands classiques du *fast food*, sans aucun produit animal. Même les carnivores sont d'accord : le résultat est délicieux !

Assembly Chef's Hall *$-$$$* [20]
111 Richmond St. W., 647-557-5993, www.assemblychefshall.com
Un concept unique à Toronto : 17 chefs, restaurateurs et baristas se sont réunis au sein de la première aire de restauration communautaire dirigée par des chefs au Canada. Divers comptoirs aux options culinaires fort variées (soupes *ramen*, *mezze*, pizzas, sushis et crêpes végétaliennes, entre autres). Les horaires varient.

Toronto Eaton Centre.

Lai Wah Heen *$$-$$$$* [23]
DoubleTree by Hilton Hotel Toronto Downtown, 108 Chestnut St., 416-977-9899, www.laiwahheen.com

Lai Wah Heen est l'empereur des restaurants chinois du centre-ville. Grand raffinement partout, dans les saveurs des mets, l'aménagement des lieux et la qualité du service: on sent bien qu'on est ici dans un endroit d'exception. Même les desserts sont intéressants, ce qui est rarissime dans un restaurant asiatique. On s'y rend le midi pour les *dim sum*.

Richmond Station *$$$* [24]
1 Richmond St. W. (près de Yonge St.), 647-748-1444, www.richmondstation.ca

Une des adresses sensationnelles du Toronto actuel. Carl Heinrich, bien qu'encore jeune, est reconnu comme un des chefs les plus innovants au pays. Il concocte ici des plats canadiens typiques dans une ambiance joyeuse, presque survoltée, dictée par l'étroitesse de la salle à manger. Le service est très sympathique et les prix s'avèrent très abordables. Excellent choix de vins et de bières.

360 Restaurant *$$$-$$$$* [18]
CN Tower, 301 Front St. W., 416-362-5411, www.cntower.ca

Le restaurant tournant de la Tour CN pourrait se contenter de proposer un décor altier à 360 degrés, mais son menu et sa cave à vin sont «à la hauteur». On gagne à réserver pour un repas un peu avant la tombée du jour, afin de bien voir la ville, de bénéficier du coucher de soleil et d'ensuite admirer la cité en lumière.

De Hamilton à Toronto - Toronto

Aloette.

🍷 Alo/Aloette $$$-$$$$ [19]
Alo:163 Spadina Ave., 3ᵉ étage, 416-260-2222,
http://alorestaurant.com;
Aloette: 163 Spadina Ave., rez-de-chaussée,
416-260-3444, https://aloetterestaurant.com

Depuis son ouverture en 2015, Alo n'a cessé de connaître un vertigineux succès… et pour cause! Sensation de l'heure à Toronto, le chef Patrick Kriss a le souci du moindre détail et propose un fabuleux menu dégustation d'inspiration française dans un décor capitonné. À moins de tenter sa chance en ligne le premier mardi du mois à 10h pour faire ses réservations, il est toutefois très difficile d'obtenir une place dans ce restaurant. Cependant, bonne nouvelle: en 2017, Patrick Kriss a ouvert Aloette, la petite sœur du Alo, un très beau bistro situé au niveau de la rue dans le même bâtiment. Profitez du menu à prix fixe *(25$ à 30$)* le midi en semaine, et des verres de vin à 10$ entre 15h et 17h.

🍷 Café Boulud $$$$ [21]
Four Seasons Hotel Toronto, 60 Yorkville Ave.,
416-964-0411, www.cafeboulud.com/toronto

Située dans le Four Seasons Hotel Toronto, l'adresse torontoise du grand chef franco-new-yorkais Daniel Boulud est un incontournable de Toronto. Le menu bien étudié affiche les grands classiques français (au brunch, ne manquez pas les petites madeleines fraîchement sorties du four!). L'addition substantielle reflète la qualité de ce qui se retrouve dans les assiettes.

Bars et boîtes de nuit
(voir carte p. 113)

beerbistro [25]
18 King St. E., angle Yonge St., 416-861-9872,
www.beerbistro.com

Elgin & Winter Garden Theatres.

Le beerbistro propose le plus grand choix de bières à Toronto et elles proviennent de partout dans le monde. Le cellier en recèle de très rares et de très précieuses. Menu très intéressant, composé de plats à la bière ou qui se marient bien avec elle.

Canoe [26]
TD Centre, 66 Wellington St. W.,
416-364-0054, www.canoerestaurant.com

Le bar Canoe est surtout réputé pour la vue qu'il offre sur le centre-ville et le lac Ontario depuis le 54e étage du TD Centre. Il propose une grande sélection de vins onta-riens de premier choix, de cocktails originaux, de whiskies et d'eaux-de-vie. On y sert également quelques plats qui sont au menu du restaurant gastronomique adjacent.

The Horseshoe Tavern [27]
370 Queen St. W., 416-598-4226,
www.horseshoetavern.com

The Horseshoe Tavern plonge ses racines dans Queen Street West : établie en 1947, elle demeure un des lieux cultes de la scène rock torontoise. Taverne en devanture, musique rock et *indie* sur scène dans l'arrière-salle.

Culture et divertissement
(voir carte p. 113)

Elgin & Winter Garden Theatres [28]
189 Yonge St., 416-314-2871,
www.heritagetrust.on.ca; métro Queen

Ces deux salles constituent le der-nier complexe théâtral à deux étages encore en activité dans le

Hôtel Le Germain Toronto.

monde. Elles accueillent des productions théâtrales, des comédies musicales, de l'opéra et des concerts de jazz.

Four Seasons Centre for the Performing Arts [29]
145 Queen St. W.

Le seul opéra avec quatre niveaux de balcons au pays. S'y produisent la **Canadian Opera Company** (416-363-8231, www.coc.ca) et le **National Ballet of Canada** (416-345-9595, https://national.ballet.ca).

Royal Alexandra Theatre [30]
260 King St. W., 416-872-1212, www.mirvish.com

Inauguré en 1907, le vénérable Royal Alexandra Theatre, de style Beaux-Arts, est une merveille pour les yeux. On y présente du théâtre musical de Broadway et d'autres spectacles flamboyants.

Logement (voir carte p. 113)

HI Toronto $-$$ [34]
76 Church St., 416-971-4440 ou 877-848-8737, www.hostellingtoronto.com

Hostelling International, le réseau mondial des auberges de jeunesse, propose à Toronto 154 lits dans des chambres individuelles ou dans de petits dortoirs, et ce, à des prix très compétitifs. Vous y trouverez aussi un salon avec téléviseur, une buanderie et une cuisine, de même qu'une petite terrasse agréable où se tiennent de joyeux barbecues. Le Cavern Bar & Bistro propose de bons repas nourrissants à prix modiques.

Beverley Place Bed & Breakfast $$-$$$ [31]
226 Beverley St., 416-977-0077, www.beverleyplacebandb.com

À proximité du campus de l'Université de Toronto, du Kensington Market et du Chinatown, le Berverley Place est installé dans une maison victorienne datant de 1887 et arbore de très beaux meubles antiques. Il compte six chambres, dont certaines avec foyer.

Bond Place Hotel $$$ [32]
65 Dundas St. E., 416-362-6061 ou 800-268-9390, www.bondplace.ca

Sachez que le Bond Place Hotel est parfaitement situé si vous voulez vivre au rythme de la ville et vous mêler à la foule bigarrée qui fourmille à Yonge-Dundas Square. Les chambres sont colorées, modernes et fonctionnelles. Le Bond Place offre un des bons rapports qualité/prix dans la catégorie hôtels d'affaires et de congrès de Toronto.

Omni King Edward $$$$-$$$$$ [36]
37 King St. E., 416-863-9700 ou 855-265-9100, www.omnihotels.com

Le *King Eddie* est le palace le plus respecté de Toronto. Construit en 1903, il renferme de grandes chambres élégantes ayant leur caractère propre, mais n'offrant malheureusement pas une vue des plus jolies. Cet inconvénient est cependant largement compensé par le magnifique hall et les deux grandes salles de bal.

The Drake Hotel $$$$-$$$$$ [37]
1150 Queen St. W., 416-531-5042 ou 866-372-5386, www.thedrakehotel.ca

Le Drake Hotel est le rendez-vous du «chic-bohème-branché» de Toronto. Ses 19 chambres allient le design

artistique au confort moderne. Cependant, ses multiples bars, sa salle à manger réputée, ses spectacles, sa belle terrasse au niveau de la rue et son autre terrasse sur le toit ne font pas du Drake une oasis reposante, mais certaines chambres, plus éloignées de l'action, sont relativement tranquilles.

Fairmont Royal York $$$$$ [33]
100 Front St. W., 416-368-2511, 800-257-7544 ou 888-610-7575 (en français), www.fairmont.com/royalyork

Le grand hall du Fairmont a subi des travaux de rénovation majeurs en 2019, dans le cadre des célébrations du 90e anniversaire de cet hôtel cossu. Les chambres au charme vieillot, dont près de 900 ont aussi été récemment rénovées, sont agréables et pourvues de toutes les commodités. Situé juste en face de la gare Union.

Hôtel Le Germain Toronto $$$$$ [35]
30 Mercer St., 416-345-9500 ou 866-345-9501, www.legermainhotels.com

Situé dans une petite rue en marge du quartier des affaires et du spectacle, Le Germain séduit par sa taille intime et le charme de sa décoration épurée. Le petit coin avec tables et fauteuils, aménagé autour du bar Victor, est particulièrement chaleureux. Les chambres sont élégantes dans leur simplicité; elles allient à merveille le plaisir et le repos avec les besoins plus spécifiques de la clientèle d'affaires.

De Hamilton à Toronto - Toronto

Journey Behind the Falls.

niagara falls
et la route des vins

pratique

Vignes avec vue sur le lac Ontario.

↘ Les formalités

Passeports et visas

Pour la plupart des citoyens des pays de l'Europe de l'Ouest, un passeport valide suffit et aucun visa n'est requis pour un séjour de moins de trois mois au Canada (il est possible de demander une prolongation de trois mois – un billet de retour ainsi qu'une preuve de fonds suffisants pour couvrir le séjour peuvent alors être demandés). Les voyageurs étrangers dispensés de visa qui entrent ou transitent au Canada par avion doivent cependant obtenir une autorisation de voyage électronique (AVE), dont le coût s'élève à 7$ (valable pour 5 ans ou la durée du passeport). Pour connaître la liste des pays dont les citoyens doivent faire une demande de visa de séjour, et pour faire une demande d'AVE en ligne, consultez le site Internet d'**Immigration et Citoyenneté Canada (CIC)** *(888-242-2100, www.cic.gc.ca).*

↘ L'arrivée

Par avion

Toronto Pearson International Airport

Situé à 125 km de Niagara Falls, le **Toronto Pearson International Airport** *(416-247-7678 ou 866-207-1690, www.torontopearson.com)* accueille les vols internationaux, ainsi que divers vols intérieurs en provenance d'autres provinces canadiennes. Il s'agit du plus grand et du plus achalandé des aéroports canadiens.

Plusieurs agences de location de voitures y sont représentées et des autobus gratuits font la navette entre les trois aérogares de l'aéroport.

Accès à Niagara Falls par voiture: à partir de l'aéroport de Toronto, suivez la route 407 en direction sud. Empruntez ensuite l'autoroute Queen Elizabeth Way (QEW), qui vous mènera à Niagara Falls.

Accès à Niagara Falls par autocar: vous pouvez également profiter du service de navette de **Niagara Airbus** *(prix dégressifs selon le nombre de passagers; 905-374-8111 ou 800-206-7222, www. niagaraairbus.com)*, qui relie l'aéroport à divers lieux dans la péninsule du Niagara. Les réservations sont obligatoires.

John C. Munro Hamilton International Airport

Si vous arrivez d'une autre ville canadienne, il peut être intéressant d'atterrir à l'aéroport de Hamilton, le **John C. Munro International Airport** *(9300 Airport Rd., 905-679-1999, http://flyhamilton.ca)*. Plus petit que l'aéroport de Toronto, il est situé à un peu plus de 100 km à l'ouest de Niagara Falls.

Accès à Niagara Falls par voiture: à partir de l'aéroport de Hamilton, empruntez Upper James

Street jusqu'à la Lincoln M. Alexander Parkway, que vous prendrez à droite pour rejoindre l'autoroute Queen Elizabeth Way (QEW).

Buffalo Niagara International Airport

Il est aussi possible d'arriver du côté des États-Unis, au **Buffalo Niagara International Airport** *(4200 Genesee St., Buffalo, NY, 716-630-6000 ou 877-359-2642, www.buffaloairport.com)*, situé à moins d'une heure des chutes (sans compter le temps pour passer les douanes canadiennes) par les routes 290 Ouest puis 190 Nord.

Accès à Niagara Falls par autocar: vous pouvez profiter du service de navette de Niagara Airbus (voir plus haut), qui dessert également la péninsule du Niagara à partir de l'aéroport de Buffalo. Les réservations sont obligatoires. Le **Buffalo Airport Shuttle** *(prix dégressifs selon le nombre de passagers; 716-685-2550 ou 877-750-2550, https://buffaloairportshuttle.com)* offre le même type de service.

Précisons que de passer par les États-Unis n'est pas plus rapide en raison des longs délais d'attente aux frontières.

Par autocar

Les autocars de **Greyhound** *(www. greyhound.ca)* assurent une liaison Montréal-Niagara Falls avec plusieurs escales et deux transferts, à

Niagara Falls et la Route des vins pratique

Ottawa et Toronto (ou Scarborough) *(à partir de 85$ l'aller simple, des rabais sont offerts sur les billets achetés à l'avance ou en ligne; comptez environ 13h pour le trajet le plus rapide).*

L'entreprise **Megabus** *(https://frca.megabus.com)* propose pour sa part une liaison Montréal-Toronto, avec transfert vers plusieurs villes de la péninsule du Niagara, entre autres Niagara Falls *(à partir de 46$ l'aller simple, des rabais sont offerts sur les billets achetés à l'avance; comptez environ 8h30 pour le trajet le plus rapide).*

Gares routières:

Hamilton: 36 Hunter St. E.

Mississauga: 1077 N. Service Rd.

Niagara Falls: 4555 Erie Ave., 905-357-2133

St. Catharines: 70 Carlisle St., 905-682-9206

Toronto: 610 Bay St.

Par train

Malheureusement, il n'y a aucune liaison directe entre Montréal et Niagara Falls. **VIA Rail** *(888-842-7245, www.viarail.ca)* relie plusieurs fois par jour Montréal à Toronto *(à partir de 50$ l'aller simple, des rabais sont offerts sur les billets achetés à l'avance; comptez environ 5h pour le trajet le plus rapide)*, où vous devrez faire un transfert pour rejoindre Niagara Falls *(18$; envi-ron 2h; un départ par jour)*. Pour sa part, **Go Transit** *(www.gotransit.com)* fait le trajet Toronto-Niagara Falls *(22,30$; environ 2h15 pour le trajet le plus rapide)* toute l'année une fois par jour en semaine (départ de Toronto à 17h15 et de Niagara Falls à 5h19) ainsi que trois fois par jour durant les week-ends d'été. En d'autres temps, le train de Go Transit se rend jusqu'à Burlington *(2101 Fairview St.)*, puis un autocar de la même compagnie prend le relais jusqu'à Niagara Falls.

Gares ferroviaires:

Hamilton: 36 Hunter St. E.

Niagara Falls: 4267 Bridge St.

Oakville: 200 Cross Ave.

St. Catharines: 5 Great Western St.

Toronto: 65 Front St. W.

Par voiture

Accès à Niagara Falls

À partir de Montréal, empruntez d'abord l'autoroute 20 (qui devient l'autoroute 401 en Ontario) jusqu'à proximité de Toronto, bifurquez vers la route 403 et rejoignez l'autoroute Queen Elizabeth Way (QEW) pour vous diriger vers Niagara Falls. La direction des chutes est particulièrement bien indiquée sur les panneaux routiers. Comptez entre 7h et 8h de route. Le trafic dans les environs de Toronto peut s'avérer infernal et certains pré-

Ville de Niagara Falls.

De Montréal aux chutes du Niagara

Si vous vous rendez en voiture aux célèbres chutes du Niagara au départ de Montréal, voici quelques suggestions d'escales pittoresques en chemin.

Pour agrémenter d'une pause bienvenue votre trajet, faites la visite de l'**Upper Canada Village** *(adultes 22$, enfants 13$; début mai à début sept tlj 9h30 à 17h; début sept à mi-sept mer-dim 9h30 à 17h; 13740 County Rd. 2, Morrisburg, sortie 758 de l'autoroute 401; 613-543-4328 ou 800-437-2233, www.uppercanadavillage.com)*, une remarquable reconstitution d'un village historique, qui fera plaisir à ceux qui voyagent avec des enfants. Vous croiserez la sortie qui y mène sur l'autoroute 401 peu après Cornwall.

Ceux qui préfèrent s'offrir un arrêt plus tranquille pourront prendre part à une croisière reposante dans l'archipel des **Mille-Îles**. Parsemées dans le Saint-Laurent entre Brockville et Gananoque, ces îles sont en réalité au nombre de 1 864 et donnent aux visiteurs l'occasion d'admirer des paysages d'une singulière beauté. Les départs peuvent se faire de Rockport (sortie 685 de l'autoroute 401), Gananoque (sortie 648 de l'autoroute 401) ou Kingston (sortie 623 de l'autoroute 401). Le lieu de départ des croisières à Gananoque présente l'avantage d'être situé tout près des Mille-Îles, et les croisières permettent donc de naviguer plus longuement dans un décor de carte postale.

Un peu plus loin, passée Napanee, se trouve le **Prince Edward County** *(sortie 566 de l'autoroute 401)*, qui vous réserve de belles scènes pastorales au détour d'une route ou le long de ses côtes. Reliée au continent par une mince bande de terre et composée de hameaux tranquilles, de vastes champs fertiles et de longues plages de sable, son île a de quoi plaire aux citadins en quête de beaux paysages naturels. C'est un lieu parfait pour la détente, que ce soit au bord de l'eau, dans l'un des nombreux vignobles ou dans un atelier-boutique d'un des créateurs d'artisanat locaux.

Pour une pause repas, faites un arrêt à Kingston, située à environ 3h de Montréal. Ouvert tous les jours pour les repas du midi et du soir, le restaurant **Olivea** *(39 Brock St., 613-547-5483, www.olivea.ca)* propose d'excellents plats italiens, dont un mémorable risotto aux champignons et aux truffes, au menu lors de notre passage.

féreront emprunter l'autoroute payante 407. Le prix varie selon le type de véhicule utilisé, l'heure à laquelle on emprunte l'autoroute et la distance parcourue. La facture, qui vous sera envoyée par la suite, pourra donc s'avérer assez élevée (jusqu'à 50$).

De plus, certaines agences de location de voitures ajoutent des frais d'administration (10$ à 15$) si vous utilisez cette autoroute.

Précisons que de passer par les États-Unis n'est pas plus rapide en raison des longs délais d'attente aux frontières.

Mille-Îles.

Par covoiturage

Organisé par l'entreprise **AmigoExpress** (7,50$ pour l'inscription; 877-264-4697, www.amigoexpress.com), le covoiturage de Montréal ou Québec vers Toronto (40-60) et d'autres villes de l'Ontario fonctionne très bien en toute saison. Les conducteurs placent leur offre sur le site Internet (disponible aussi par téléphone) et les membres y consultent la liste des départs affichés. Des frais de 5$ sont exigés pour chaque réservation.

↘ Les déplacements

En voiture

Il n'est pas évident de se déplacer en voiture à Niagara Falls et le

stationnement payant coûte assez cher. Pour faire des économies, nous vous conseillons de vous stationner à la **Niagara Parks Floral Showhouse** (voir l'encadré p. 34).

Si vous comptez louer une voiture pour explorer la région, sachez que vous devez être âgé d'au moins 21 ans et posséder votre permis depuis au moins un an. De plus, si vous avez entre 21 et 25 ans, certaines agences de location imposeront une franchise collision de 500$ et parfois un supplément journalier. À partir de l'âge de 25 ans, ces conditions ne s'appliquent plus. Une carte de crédit est indispensable pour le dépôt de garantie et elle doit être au même nom que le permis de conduire.

Niagara Falls et la Route des vins pratique

Floral Clock, Niagara Falls.

En autobus

WEGO *(905-356-1179, www. wegoniagarafalls.com)* est un réseau d'autobus qui sillonne toute la zone des chutes et qui permet aux visiteurs de se rendre aisément d'un attrait touristique à l'autre. Le laissez-passer pour la journée coûte 9$ par adulte et 6$ par enfant. Consultez la carte qui se trouve sur le rabat de la couverture avant.

Pendant la période estivale, la **Niagara-on-the-Lake Shuttle** *(adultes 7$, enfants 5$; www. niagaraparks.com)* propose aussi un service de navette entre la **Floral Clock** (voir p. 43) et la ville de Niagara-on-the-Lake. Le reste de l'année, vous ne pourrez vous rendre à Niagara-on-the-Lake à partir de Niagara Falls qu'en taxi (comptez environ 35$).

En taxi

Niagara Falls Taxi: Niagara Falls, 905-357-4000 ou 800-363-4900, www.niagarafallstaxi.com

Niagara-on-the-Lake Taxi: Niagara-on-the-Lake, 905-468-2661, https://notltaxi.com

Brock Q Taxi: St. Catharines, 905-935-5000, www.brockqtaxi.ca

À vélo

Durant l'été, il est très agréable de se balader dans la péninsule du Niagara. Les routes secondaires sont généralement tranquilles, mais vous pouvez aussi emprunter les nombreuses pistes cyclables de la région, entre autres la **Greater Niagara Circle Route**, une voie cyclable qui relie Niagara-on-the-Lake, St. Catharines, Port Colborne, Fort Erie et Niagara Falls. Elle est divisée en cinq tronçons, soit le **Waterfront Trail** (entre Niagara-on-the-Lake et Grimsby), le **Welland Canals Parkway Trail** (le long du canal Welland, entre le lac Ontario et le lac Érié), le **Fort Erie Friendship Trail** (entre Port Colbourne et Fort Erie), le **Niagara River Recreation Trail** (de Niagara-on-the-Lake à Fort Erie) et le **Trans Canada Trail** (qui relie Port Colbourne à St. Catharines en passant par Fort Erie et Niagara-on-the-Lake).

Vous pouvez télécharger une carte indiquant le parcours des différentes pistes cyclables de la région sur le site Internet de la municipalité régionale de Niagara, **Niagara Region** *(www.niagararegion.ca/ government/initiatives/gncr/PDF/ gncr-map-web.pdf)*.

⇘ Bon à savoir

Argent et services financiers

Monnaie

L'unité monétaire du Canada est le dollar ($), lui-même divisé en cents. Un dollar = 100 cents (¢).

Taux de change

1$CA	=	0,67€
1$CA	=	0,73CHF
1$CA	=	0,75$US
1€	=	1,49$CA
1CHF	=	1,36$CA
1$US	=	1,33$CA

N.B. Les taux de change peuvent fluctuer en tout temps.

Banques et change

Le meilleur moyen de retirer de l'argent consiste à utiliser une carte bancaire dans les distributeurs automatiques. Notez que votre banque vous facturera des frais fixes pour chaque retrait; par conséquent, il vaut mieux éviter de retirer de petites sommes. Consultez nos conseils sur le change: *www. guidesulysse.com/destinations/ Taux_de_change.aspx*.

Climat

L'une des caractéristiques de l'Ontario par rapport à l'Europe est que les saisons y sont très marquées.

Niagara Falls et la Route des vins pratique

Moyennes des températures et des précipitations

	Max. (°C)	Min. (°C)	Précipitations pluie (mm)/ neige (cm)	Jours de précipitations par mois	Heures d'ensoleillement par jour
Janvier	-0,4	-7,8	28/48	14	3
Février	1,3	-6,6	30/32	11	4
Mars	5,9	-3,5	37/25	11	5
Avril	12,8	2,2	66/6	13	6
Mai	19,4	7,7	86/0	14	8
Juin	24,5	13,7	81/0	11	9
Juillet	27,4	17	79/0	11	9
Août	26	16,2	79/0	11	8
Septembre	21,9	12,3	98/0	11	6
Octobre	15,1	6,3	80/0	13	5
Novembre	8,7	1,1	82/10	13	3
Décembre	2,7	-4,1	49/32	13	2

Source : http://climat.meteo.gc.ca

Chacune des saisons en Ontario a son charme et influe non seulement sur les paysages, mais aussi sur le mode de vie des habitants et leur comportement. En été, le mercure peut grimper à plus de 30°C (avec un fort taux d'humidité), et en hiver il peut descendre aux environs de -10°C ou -15°C, bien que la température moyenne gravite plutôt autour de -6°C. De plus, les chutes de neige sont fréquentes.

Vous pouvez obtenir des renseignements sur la météo en contactant Environnement Canada : *416-661-0123*, ou en consultant le site Internet *www.meteomedia.com*.

La chute canadienne au lever du soleil.

Décalage horaire

La plus grande partie de l'Ontario, y compris la péninsule du Niagara, adopte l'heure normale de l'Est, ce qui représente 3h de plus que sur la côte ouest du continent. Il y a 6h de différence entre Niagara Falls et l'ensemble des pays continentaux d'Europe, et 5h avec le Royaume-Uni. Le passage à l'heure avancée se fait le deuxième dimanche de mars; et le passage à l'heure normale, le premier dimanche de novembre.

Drogue

La majorité des drogues sont absolument interdites; aussi bien les consommateurs que les distributeurs risquent de très gros ennuis s'ils sont trouvés en possession de drogues. Cependant, depuis le 17 octobre 2018, le cannabis et ses dérivés sont légalisés pour usage récréatif au Canada. L'âge minimal pour la consommation et la possession de cannabis est de 19 ans en Ontario. Sachez que les produits légaux ne peuvent être achetés que dans des magasins autorisés, que les lieux de consommation sont strictement définis et qu'il est interdit de conduire après avoir consommé ces substances.

Électricité

Partout au Canada, la tension est de 110 volts. Les prises électriques sont conçues pour recevoir des fiches à deux broches plates avec ou sans une troisième broche de mise à terre, et l'on peut trouver des adaptateurs sur place.

Niagara Falls et la Route des vins pratique

The House by the Side of the Road, Beamsville.

Hébergement

Les tarifs indiqués dans ce guide s'appliquent, sauf indication contraire, à une chambre standard pour deux personnes en haute saison, et ils n'incluent pas les taxes (voir p. 142).

$	moins de 60$
$$	de 60$ à 100$
$$$	de 101$ à 150$
$$$$	de 151$ à 225$
$$$$$	plus de 225$

Location d'appartements

Divers sites Internet spécialisés tels que *www.airbnb.com* et *www.homeaway.com* permettent d'entrer en contact avec des particuliers proposant une chambre ou un appartement en location courte durée. Il importe de demeurer vigilant, notamment en vérifiant les commentaires laissés par d'autres locataires.

Heures d'ouverture

En règle générale, les magasins respectent l'horaire suivant :

lun-mer : 10h à 18h
jeu-ven : 10h à 21h
sam : 9h ou 10h à 17h
dim : 12h à 17h

Jours fériés

Voici la liste des jours fériés en Ontario. À noter que la plupart des banques et des services administratifs sont fermés ces jours-là.

Jour de l'An
1er janvier (plusieurs établissements sont aussi fermés le 2 janvier quand le Nouvel An tombe la fin de semaine)

Décorations de Noël à Niagara Falls.

Jour de la famille
3ᵉ lundi de février

Le vendredi précédant la fête de Pâques

Le lundi suivant la fête de Pâques

Fête de la reine Victoria
lundi précédant le 25 mai

Fête du Canada
1ᵉʳ juillet

Congé civique (aussi nommé Simcoe Day)
1ᵉʳ lundi d'août

Fête du Travail
1ᵉʳ lundi de septembre

Action de grâce
2ᵉ lundi d'octobre

Jour du Souvenir
11 novembre (seuls les services gouvernementaux fédéraux et les banques sont fermés)

Noël
25 décembre (plusieurs établissements sont aussi fermés le 26 décembre quand Noël tombe la fin de semaine)

Pourboire

Le pourboire s'applique dans les restaurants et autres établissements où l'on vous sert à table (la restauration rapide n'entre donc pas dans cette catégorie). Il est aussi de rigueur dans les bars, les boîtes de nuit et les taxis.

Selon la qualité du service rendu, il faut compter entre 15% et 20% de pourboire sur le montant avant les taxes. Il n'est pas, comme en Europe, inclus dans l'addition, et le client doit le calculer lui-même et le remettre à la serveuse ou au serveur. Les bagagistes dans les aéroports et les hôtels reçoivent géné-

Niagara Falls et la Route des vins pratique

ralement 2$ par valise. Les femmes de chambre, quant à elles, s'attendent à recevoir de 2$ à 5$ par jour. Ne pas donner de pourboire est très mal vu!

Presse écrite

Pour connaître les dernières nouvelles de Niagara Falls, le quotidien **Niagara Falls Review** (www.niagarafallsreview.ca) est disponible en version papier ainsi qu'en version numérique sur le site Internet. Ailleurs sur la péninsule, l'hebdomadaire **Niagara this Week** (www.niagarathisweek.com) couvre l'ensemble de la région et est proposé en version numérique, alors que **The Standard** (www.stcatharinesstandard.ca) relate les nouvelles de St. Catharines en versions imprimée et numérique.

Table Rock Welcome Centre.

Renseignements touristiques

Niagara Falls Tourism:
6815 Stanley Ave., Niagara Falls,
905-356-6061 ou 800-563-2557,
www.niagarafallstourism.com

Ontario Tourism Information Centre: 5355 Stanley Ave., Niagara Falls, 905-358-3221 ou 800-668-2746; 251 York Rd., Niagara-on-the-Lake, 905-684-6534

Table Rock Welcome Centre: 6650 Niagara Pkwy., Niagara Falls, 877-642-7275

Niagara-on-the-Lake Chamber of Commerce:
www.niagaraonthelake.com

City of St. Catharines:
www.stcatharines.ca

Visit Niagara:
www.visitniagaracanada.com

Wine Country Ontario:
https://winecountryontario.ca

Twenty Valley Tourism Association: www.twentyvalley.ca

Restaurants

Bien manger à Niagara Falls s'avère plus difficile qu'ailleurs dans la péninsule, car la majorité des restaurants y sont de piètre qualité. Mais il existe tout de même quelques exceptions (voir p. 45).

Quant au reste de la péninsule du Niagara, on y trouve d'excellentes tables qui mettent en valeur les produits de la région. La plupart offrent un vaste choix de vins locaux et certains proposent même un accord mets-vin pour chaque plat inscrit sur le menu. Vous trouverez également quelques restaurants qui servent une cuisine plus exotique, qu'elle soit mexicaine, asiatique ou même hongroise!

Les Ontariens parlent du *breakfast* pour désigner le repas du matin, du *lunch* pour le repas de midi et du *dinner* pour le repas du soir. Le *brunch*, qui combine *breakfast* et *lunch*, est généralement servi les samedi et dimanche entre 10h et 14h.

Les tarifs indiqués dans ce guide s'appliquent à un repas complet pour une personne, avant boissons, taxes et pourboire.

$	moins de 15$
$$	de 15$ à 25$
$$$	de 26$ à 50$
$$$$	plus de 50$

Santé

Pour les personnes en provenance d'Europe et du reste du Canada, aucun vaccin n'est nécessaire. D'autre part, il est vivement recommandé, en raison du prix élevé des soins, de souscrire une bonne assurance maladie-accident. À noter que les Québécois ne sont couverts que partiellement par la RAMQ; les visites médicales, par exemple, ne sont pas remboursées. Il existe différentes formules de protection et certaines cartes de crédit «Or» incluent une assurance voyage.

Niagara Falls et la Route des vins pratique

Peller Estates.

Emportez vos médicaments, surtout ceux qui exigent une ordonnance. Sauf indication contraire, l'eau est potable partout en Ontario.

Spectacles

Vous pouvez vous procurer des billets en ligne pour certains spectacles à l'affiche à Niagara Falls et à St. Catharines auprès de **Ticketmaster** *(www.ticketmaster.ca).*

Taxes

Contrairement à l'Europe, les prix affichés le sont **hors taxes** dans la majorité des cas. En Ontario, les taxes fédérale et provinciale ont été « harmonisées » en 2010 pour créer l'**Harmonized Sales Tax (HST)** de 13% (en français : TVH, taxe de vente harmonisée), qu'il faut ajouter aux prix affichés pour la majo-

rité des produits, ainsi qu'au restaurant et dans les lieux d'hébergement. Elle est toutefois incluse dans les prix de certains services, comme les courses en taxi. Depuis 2018, certaines villes ontariennes comme Niagara Falls et St. Catharines ajoutent aussi une taxe de 2$ par nuitée sur l'hébergement

Télécommunications

Il y a deux indicatifs régionaux à Niagara Falls, le *289* et le *905*, et l'on retrouve aussi le *365* dans la péninsule du Niagara.

La plus grande partie de la ville de Toronto utilise les indicatifs régionaux *416*, *647* et *437*.

Sachez qu'un numéro de téléphone débutant par *800*, *855*, *866*, *877* ou *888*, n'entraîne pas de frais de com-

munication, peu importe où vous vous trouvez au Canada (il vous faudra composer le *1* en premier).

Les téléphones publics se trouvent relativement facilement, même s'ils se raréfient peu à peu avec la prolifération des téléphones portables. Certains d'entre eux fonctionnent avec une carte de crédit. Pour les appels locaux, la communication coûte 0,50$ pour une durée illimitée. Pour les interurbains, munissez-vous de beaucoup de pièces de monnaie ou procurez-vous une carte d'appel en vente chez les marchands de journaux, les dépanneurs ou les pharmacies.

Pour les interurbains au Canada et aux États-Unis et les numéros sans frais, composez le *1*, puis le numéro à 10 chiffres. Pour téléphoner hors du Canada et des États-Unis, faites le *011*, puis l'indicatif du pays suivi du numéro de votre correspondant.

Vins, bières et alcools

L'âge légal pour acheter et boire de l'alcool en Ontario est de 19 ans. On achète surtout les bières ontariennes dans les **Beer Stores**, tandis que vins et spiritueux se vendent dans les succursales de la **LCBO** (Liquor Control Board of Ontario). La LCBO est le plus grand monopole d'achat de vins au monde. Pour obtenir les adresses de toutes les succursales, consultez le site Internet (*www.lcbo.com*). Aussi, sachez que les vignobles de la péninsule du Niagara comptent généralement une boutique où l'on peut se procurer leurs vins, dont certains sont des exclusivités non disponibles à la LCBO.

Niagara Falls et la Route des vins pratique

Vue des chutes depuis la Skylon Tower.

Voyageurs à mobilité réduite

Sur le site Internet de **Voyage Accessible** (*www.accesstotravel. gc.ca*), vous trouverez des renseignements sur les transports accessibles et le tourisme adapté au Canada, incluant de l'information sur le transport par autobus, par train, par avion et par traversier, sur les services de transport locaux privés et publics, ainsi que sur les politiques et les programmes gouvernementaux canadiens.

Pour de l'information plus ciblée sur les sites accessibles aux personnes à mobilité réduite dans la région de Niagara, consultez le site Internet de l'organisme **Accessible Niagara** (*https://accessibleniagara.com*).

Voyager avec des enfants

Dans les transports en général, les enfants de 5 ans et moins ne paient pas; il existe aussi des rabais pour les 18 ans et moins. Pour les activités ou les spectacles, la même règle s'applique parfois; renseignez-vous avant d'acheter vos billets. Dans la plupart des restaurants, des chaises pour enfants sont disponibles, et plusieurs établissements proposent des menus pour enfants.

Dégustation de vins de glace.

Calendrier des événements

Janvier

Niagara Icewine Festival

905-688-0212, www.niagarawinefestival.com

Pendant le mois de janvier, les amateurs de vin de glace ont le plaisir de faire la dégustation de produits dans les vignobles participants. On peut se procurer le *Discovery Pass* (45$), qui permet de participer à huit expériences gustatives dans autant de vignobles où vins et mets sont agencés.

Twenty Valley's Winter WineFest

Jordan Village,
www.twentyvalley.ca/site/winter-winefest

Le Twenty Valley's Winter WineFest accueille, lors d'une fin semaine à la mi-janvier, une trentaine de vignerons des environs qui présentent les produits de leurs vignobles aux visiteurs. Démonstrations culinaires et défis entre vignerons font partie des événements organisés.

Avril à décembre

Shaw Festival

905-468-2172 ou 800-511-7429,
Niagara-on-the-Lake, www.shawfest.com

De renommée internationale, le Shaw Festival a lieu tous les ans depuis 1962 à Niagara-on-the-Lake. Du mois d'avril au mois de décembre, vous aurez ainsi l'occa-

Niagara Falls et la Route des vins pratique

sion d'assister à de nombreuses pièces de théâtre tirées de l'œuvre du dramaturge irlandais George Bernard Shaw.

Mai

Niagara Folk Arts Festival

Niagara Folk Arts Multicultural Centre, 85 Church St., St. Catharines, 905-685-6589, http://folk-arts.ca/festival

Pendant le mois de mai à St. Catharines se tient le Niagara Folk Arts Festival, qui met en exergue les différentes cultures qui ont contribué à l'histoire et à la culture canadiennes. Au programme : danses, expositions et prestations musicales, entre autres.

Juin

Concerts on the Canal

Merritt Park Amphitheatre, 151 King St., Welland, www.facebook.com/ConcertsontheCanal

Durant plusieurs fins de semaine pendant l'été, des concerts mettant en vedette des artistes canadiens sont présentés au Merritt Park Amphitheatre de Welland dans le cadre des Concerts on the Canal.

Niagara Falls Women's Half Marathon

premier dimanche de juin; 905-401-3344, http://nfwhm.com

Ce demi-marathon invite 4 000 participantes à courir sur une distance de 21,1 km le long de la rivière Niagara.

Comic Con Niagara Falls

à partir de 26$; Scotiabank Convention Centre, 6815 Stanley Ave., https://nfcomiccon.com

À l'instar des Comic Con qu'on retrouve ailleurs au Canada et aux États-Unis, le Comic Con de Niagara Falls attire les amateurs de bandes dessinées, de science-fiction et de films d'aventure, ainsi que son lot d'acteurs de cinéma.

Trius Red Presents: Movie Night in the Vineyard

25$; Trius Winery, 1249 Niagara Stone Rd., Niagara-on-the-Lake, 800-582-8412, www.triuswines.com

Voilà la nouvelle version du ciné-parc! Certains vendredis de juin et juillet, le vignoble Trius invite les adultes à venir voir un film dans un environnement splendide. Le prix d'entrée inclut un verre de vin, le maïs soufflé et un souvenir.

Niagara Homegrown Wine Festival

mi-juin; dans les vignobles participants; 905-688-0212, www.niagarawinefestival.com/niagara-homegrown-wine-festival

Pendant une semaine, les vignobles organisent des activités et dégustations spéciales. On peut se procurer le Discovery Pass (45$), qui permet de participer à huit expériences gustatives dans autant de vignobles où vins et mets sont agencés.

Winter Festival of Lights.

Strawberry Festival
troisième samedi de juin; St. Andrew's Presbyterian Church, 323 Simcoe St., Niagara-on-the-Lake, 905-468-3363

Le Strawberry Festival est l'occasion de déguster *shortcakes*, tartes et autres délices aux fraises.

Août

Peach Festival
mi-août; Queen St., Niagara-on-the-Lake, www.niagaraonthelake.com

Le Peach Festival met la pêche en vedette pendant une fin de semaine à la mi-août. Concerts et dégustations de tartes, crèmes glacées et autres délices aux pêches sont au menu. Un repas en plein air clôt le festival le dimanche soir.

Septembre

Grape & Wine Festival
dans les vignobles participants; 905-688-0212, www.niagarawinefestival.com

Pendant 10 jours à la mi-septembre, le Grape & Wine Festival, plus important événement du genre au Canada, propose une centaine d'activités à travers les différents vignobles de la péninsule.

Novembre

Winter Festival of Lights
905-374-1616 ou 866-668-9365, Niagara Falls, https://wfol.com

De la mi-novembre à la mi-janvier, plusieurs endroits de la ville de Niagara Falls s'illuminent tous les soirs *(17h à 24h)*. Les chutes sont particulièrement spectaculaires durant cet événement.

Niagara Falls et la Route des vins pratique

Queen Victoria Park.

index

Un vignoble de la péninsule du Niagara

lexique
français-anglais ↘

Expressions et mots usuels

Salut!	*Hi!*
Comment ça va?	*How are you?*
Ça va bien	*I'm fine*
Bonjour	*Hello*
Bonsoir	*Good evening/night*
Bonjour, au revoir	*Goodbye*
À la prochaine	*See you later*
Oui	*Yes*
Non	*No*
Peut-être	*Maybe*
S'il vous plaît	*Please*
Merci	*Thank you*
De rien, bienvenue	*You're welcome*
Excusez-moi	*Excuse me*
Je suis touriste	*I am a tourist*
Je suis Canadien(ne)	*I am Canadian*
Je suis Belge	*I am Belgian*
Je suis Français(e)	*I am French*
Je suis Suisse	*I am Swiss*
Je suis désolé(e), je ne parle pas l'anglais	*I am sorry, I don't speak English*
Parlez-vous le français?	*Do you speak French?*
Plus lentement, s'il vous plaît	*Slower, please*
Comment vous appelez-vous?	*What is your name?*
Je m'appelle…	*My name is…*
époux(se)	*spouse*
frère, sœur	*brother, sister*
ami(e)	*friend*
garçon	*son, boy*
fille	*daughter, girl*
père	*father*
mère	*mother*
célibataire	*single*
marié(e)	*married*
divorcé(e)	*divorced*
veuf(ve)	*widower/widow*

Déplacements

aéroport	*airport*
à l'heure	*on time*
aller-retour	*return ticket, return trip*
aller simple	*one way ticket, one way trip*
annulé	*cancelled*
arrêt d'autobus	*bus stop*
arrivée	*arrival*
autobus	*bus*
autoroute	*highway*
avenue	*avenue*
avion	*plane*
bagages	*baggages*
bateau	*boat*
bicyclette	*bicycle*
bureau de tourisme	*tourist office*
coin	*corner*
départ	*departure*
est	*east*
gare	*train station*
horaire	*schedule*

immeuble	*building*	retour	*return*
nord	*north*	route, chemin	*road*
ouest	*west*	rue	*street*
place	*square*	sécuritaire	*safe*
pont	*bridge*	sud	*south*
quartier	*neighbourhood*	train	*train*
rapide	*fast*	vélo	*bicycle*
en retard	*late*	voiture	*car*

Directions

Où est le/la...?	*Where is ...?*	entre	*between*
Il n'y a pas de...	*There is no...*	ici	*here*
Nous n'avons pas de ...	*We have no...*	là, là-bas	*there, over there*
à côté de	*beside*	loin de	*far from*
à l'extérieur	*outside*	près de	*near*
à l'intérieur	*in, into, inside*	sur la droite	*to the right*
derrière	*behind*	sur la gauche	*to the left*
devant	*in front of*	tout droit	*straight ahead*

L'hébergement

ascenseur	*elevator*	haute saison	*high season*
auberge	*inn*	hébergement	*accommodation*
auberge de jeunesse	*youth hostel*	lit	*bed*
basse saison	*off season*	petit déjeuner	*breakfast*
chambre	*bedroom*	piscine	*pool*
climatisation	*air conditioning*	rez-de-chaussée	*main floor*
étage	*floor (first, second...)*	salle de bain	*bathroom*
gérant	*manager, owner*	toilettes	*restroom*
gîte touristique	*bed and breakfast*	ventilateur	*fan*

Le temps

après-midi	*afternoon*	mois	*month*
aujourd'hui	*today*	janvier	*January*
demain	*tomorrow*	février	*February*
heure	*hour*	mars	*March*
hier	*yesterday*	avril	*April*
jamais	*never*	mai	*May*
jour	*day*	juin	*June*
maintenant	*now*	juillet	*July*
matin	*morning*	août	*August*
minute	*minute*	septembre	*September*

octobre	October	lundi	Monday
novembre	November	mardi	Tuesday
décembre	December	mercredi	Wednesday
nuit	night	jeudi	Thursday
Quand?	When?	vendredi	Friday
Quelle heure est-il?	What time is it?	samedi	Saturday
semaine	week	soir	evening
dimanche	Sunday		

La température

Il fait chaud	It is hot outside	nuages	clouds
Il fait froid	It is cold outside	pluie	rain
neige	snow	soleil	sun

L'argent

argent	money	chèques de voyage	traveller's cheques
banque	bank	Je n'ai pas	I don't have
caisse populaire,	credit union	d'argent	any money
coopérative		L'addition,	The bill
d'épargne et de crédit		s'il vous plaît	please
carte de crédit	credit card	reçu	receipt
change	exchange		

Au restaurant

banquette	booth	dessert	dessert
chaise	chair	entrée	appetizer
cuisine	kitchen	plat	dish
salle à manger	dining room	plat principal	main dish/entree
table	table	plats végétariens	vegetarian dishes
terrasse	patio	soupe	soup
toilettes	washroom	vin	wine

petit déjeuner	breakfast	saignant	rare
déjeuner	lunch	à point (médium)	medium
dîner	dinner/supper	bien cuit	well done
café	coffee		

Achats

appareils	electronic	artisanat	handicrafts
électroniques	equipment	boutique	store/boutique

cadeau	*gift*	équipement	*photography*
carte	*map*	photographique	*equipment*
carte postale	*postcard*	journaux	*newspapers*
centre commercial	*shopping mall*	librairie	*bookstore*
chaussures	*shoes*	marché	*market*
coiffeur	*hairdresser/barber*	pharmacie	*pharmacy*
équipement	*computer*	supermarché	*supermarket*
informatique	*equipment*	timbres	*stamps*
		vêtements	*clothing*

Les nombres

1	*one*	21	*twenty-one*
2	*two*	22	*twenty-two*
3	*three*	23	*twenty-three*
4	*four*	24	*twenty-four*
5	*five*	25	*twenty-five*
6	*six*	26	*twenty-six*
7	*seven*	27	*twenty-seven*
8	*eight*	28	*twenty-eight*
9	*nine*	29	*twenty-nine*
10	*ten*	30	*thirty*
11	*eleven*	31	*thirty-one*
12	*twelve*	32	*thirty-two*
13	*thirteen*	40	*forty*
14	*fourteen*	50	*fifty*
15	*fifteen*	60	*sixty*
16	*sixteen*	70	*seventy*
17	*seventeen*	80	*eighty*
18	*eighteen*	90	*ninety*
19	*nineteen*	100	*one hundred*
20	*twenty*	200	*two hundred*
		500	*five hundred*
		1 000	*one thousand*
		10 000	*ten thousand*

Pour en connaître un peu plus,
procurez-vous le guide de conversation
L'anglais pour mieux voyager en Amérique.

Crédits photographiques

/Carlos Gandiaga Photography; p. 8 © flickr.com/
.com/Elijah-Lovkoff; p. 8 © Dreamstime.com/ Eranda
photo.com/Artem; p. 9 © Dennis Jarvis, flickr.com/
com/Helgidinson; p. 9 © Shutterstock.com/Kiev.
.com/D4Fish; p. 11 © Dreamstime.com/Farzinm82;
oto.com/Dabitxu7; p. 17 © iStockphoto.com/
© iStockphoto.com/SkyF; p. 20 © Catherine Gilbert;
he Gilbert; p. 23 © Catherine Gilbert; p. 24 © Catherine
29 © iStockphoto.com/lucky-photographer;
s.com/Kai Nishizawa; p. 36 © Shutterstock.com/
Stockphoto.com/KatyaSp; p. 41 © Dreamstime.com/
amstime.com/Hossein Sardsiri; p. 44 © Shutterstock.
49 © Dreamstime.com/Helgidinson;
com/Ken Felepchuk; p. 57 © Shutterstock.com/
p. 60 © Shutterstock.com/Gilberto Mesquita;
ock.com/Joanne Dale; p. 65 © Marcel Verreault;
; p. 70 © Catherine Gilbert; p. 72 © iStockphoto.
eberg; p. 75 © iStockphoto.com/benedek;
la/Trappy [Public domain]; p. 83 © iStockphoto.
com/Elijah-Lovkoff; p. 86 © iStockphoto.com/Luke Abrahams; p. 88 © John Cullen; p. 90 © Catherine
Gilbert; p. 93 © Catherine Gilbert; p. 94 © Shutterstock.com/Marc Kirouac; p. 97 © Shutterstock.com/
Cindy Haggerty, p. 100 © Dreamstime.com/Chloe7992; p. 102 © Shutterstock.com/CWA Photography;
p. 105 © iStockphoto.com/benedek; p. 107 © Dreamstime.com/Faycal Chebbi; p. 108 © Dreamstime.com/Ian
Whitworth; p. 109 © iStockphoto.com/benedek; p. 110 © iStockphoto.com/fotoVoyager; p. 114 © iStockphoto.
com/Elijah-Lovkoff; p. 115 © Shutterstock.com/Annanass; p. 116 © iStockphoto.com/AmArtPhotography;
p. 117 © pixabay.com/nicoleb62; p. 118 © flickr.com/kevin53/13250711053 (CC BY 2.0); p. 119 © Dreamstime.
com/Elovkoff; p. 121 © Shutterstock.com/Jon Bilous; p. 122 © Nathalie Prézeau; p. 123 © iStockphoto.
com/benedek; p. 124 © Nathalie Prézeau; p. 126 © iStockphoto.com/JavenLin; p. 128 © iStockphoto.com/
tenmay; p. 131 © iStockphoto.com/avstraliavasin; p. 133 © iStockphoto.com/benedek; p. 134 © Dreamstime.
com/Pierrette Guertin; p. 137 © iStockphoto.com/Onfokus; p. 138 © Catherine Gilbert; p. 139 © Dreamstime.
com/Maxbur; p. 140 © Shutterstock.com/lastdjedai; p. 143 © Shutterstock.com/Ken Felepchuk;
p. 144 © Shutterstock.com/Lorraine Swanson; p. 145 © Shutterstock.com/Nellie M; p. 147 © iStockphoto.com/
mdshah96; p. 148 © Shutterstock.com/Javen; p. 155 © iStockphoto.com/ihoe